©Mac and Nino

FROM THE LIBRARY OF

......Tomas...............

VÍCTOR

y los VAMPIROS

MAITE CARRANZA

VÍCTOR
y los VAMPIROS

ilustraciones de **AGUSTÍN COMOTTO**

edebé

A mi Víctor.

1. ¡Hacia Transilvania!

Me llamo Víctor Llobregat, tengo once años y haré sexto de primaria.

Es extraño, porque este es el primer verano de mi vida que no tengo bronca con mis padres por culpa de las notas, y la primera vez que haremos un viaje guay para celebrar que tenemos muy buen rollo y que nos queremos.

Mucha gente quizás piense que es natural que mis padres me quieran porque soy su hijo pequeño y tienen la obligación de quererme, pero este año me quieren más que el año pasado.

Lo juro.

El año pasado, por San Juan, no me dejaron tirar petardos ni saltar la hoguera. Fue el comienzo de un verano horroroso. El mes de julio estuve castigado sin cómics, tele, ni Play, y en agosto —¡en el mes de agosto!— estuve encerrado en casa sin

vacaciones. Era el único niño del mundo que tenía colgado un horario MEGADEPRIMENTE del corcho de mi habitación. De la mañana a la noche todos los recuadros estaban llenos de las letras **L / M / I**, que traducidas significan: **Lengua, Matemáticas e Inglés.**

Este año, en cambio, celebramos una verbena familiar, con primos, vecinos y amigos, encendimos una hoguera superguay y mis padres me dieron permiso para quemar el libro de Conocimiento del Medio y tirar treinta y dos petardos TNT. Este mes de julio me lo he pasado de fábula. Por las mañanas he hecho el burro en la piscina con Francis y Camprubí, por las tardes me he empanado con la colección de Bola de Dragón de mi hermano

Aurelio y por las noches he leído cómics hasta que se me han caído los ojos al suelo. Lo más alucinante es que mi madre no me ha taladrado el cerebro ni una sola vez diciendo que el manga japonés es antipedagógico. **Lo juro.**

Cuando era pequeño soñaba que de mayor sería japonés, viviría dentro de una viñeta de cómic y me llamaría **Víctor Yubakuto.** Era mi sueño y creía que sólo así podría ser feliz. Pero me equivocaba. Ahora soy muy feliz porque mis padres también lo son y me dejan hacer las cosas que a mí me gustan y que ellos odian.

FRANCIS

A mí me gustan:

Pero también me gustan:

LA MÚSICA DE BOB MARLEY

Said he was a Buffalo Soldier win the war for America
Buffalo Soldier, Dreadlock Rasta
Fighting on arrival, fighting for survival
Driven from the mainland to the heart of the Caribbean

LA GUITARRA ELÉCTRICA

¡UNA GIBSON LES PAUL!

LAS RASTAS DE BOB MARLEY

Get up, stand up: stand up for your rights!
Get up, stand up: stand up for your rights!

Piojos

JAMAICA

Llevo toda la vida pidiendo una guitarra eléctrica y una entrada para el salón del manga. Y de repente, mis padres me regalan las dos cosas.

Lo juro.

Y todo porque he sacado buenas notas.

Es tan increíble que he dibujado la transformación de mis padres.

BUENAS NOTAS

Y esta tarde, por primera vez en mi vida, estamos decidiendo dónde iremos de vacaciones en agosto.

—No, al niño no le dan miedo los vampiros —dice mi padre, que siempre habla por mí.

—Pero al niño le gustaría más el Caribe —contesta mi madre, que me utiliza como excusa.

—¿Puedo hablar? —pregunto yo, que soy el niño que tienen que llevar de vacaciones porque ha sacado muy buenas notas.

Me miran con desconfianza y me dejan un minuto para pedir. No me lo pienso dos veces.

—Quiero ir a Japón.

—Es carísimo.

Ya me lo olía.

—Pues a Jamaica.

—Más aún.

A ver si a la tercera va la vencida.

—A Eurodisney.

—Ya no tienes edad.

Tienen razón.

Ya tengo once años y hace tanto tiempo que no salimos de vacaciones que me he quedado atascado en el primer viaje que quería hacer cuando era pequeño.

—Pues nos lo jugamos a los chinos —he propuesto sabiendo que perderé.

Siempre pierdo y, como que sé que pierdo, ya no me mato.

—El que saque la pajita más larga elige las vacaciones.

He perdido y ha ganado mi padre. Tiene mucha suerte, hasta le tocó la lotería de Navidad del Club Natación donde no nada nunca. Una cesta muy grande, fardona, con botellas de vino, barquillos y un chorizo. Camprubí, muerto de envidia, dijo que no era exactamente una cesta de Navidad auténtica porque no tenía cava ni jamón. Dijo que las cestas sin jamón eran falsas como los pantalones Levi's de los *outlets* del puerto y que las fabricaban en China.

—¡Hacia Transilvania! —grita mi padre, loco de alegría, blandiendo la pajita más larga.

Cada año —desde que yo nací— propone sin éxito hacer la ruta del Conde Drácula, pero mis hermanos mayores, Claudia y Aurelio, pasan de él y se largan por su cuenta para que no les dé el peñazo. Y mamá dice que no, que en verano yo tengo que estudiar y que no podemos ir de vacaciones.

Hace tanto tiempo que el pobre me suelta el rollo de la tierra de los vampiros y me enseña el mapa sin que yo me entere, que me ha dado vergüenza

PAPÁ ➡

preguntarle dónde está Transilvania. Esta noche, a hurtadillas, he cogido el mapa del mundo y me he vuelto loco buscando Transilvania. Así, por la T, no he encontrado ningún país. La verdad es que no sabía si empezar por Asia, Australia, Europa o América. He descartado África porque no me sonaba que los vampiros fueran negros. Al final me he hartado y he ido al Google. Me ha salido a la primera y me

he quedado frito. Resulta que Transilvania no es un país. Es algo así como Andalucía, una especie de comunidad autónoma de Rumanía. Es rarísimo. ¿El Conde Drácula era un rumano?

—Víctor, qué contenta estoy. Tienes curiosidad por el mundo —me ha dicho mamá al descubrir el atlas en mi cama—. La curiosidad es fundamental, hijo mío. Aprender cosas nuevas, abrir los ojos a tu alrededor, querer saber, preguntar. Te encuentro tan cambiado...

Mamá flipa conmigo porque he sacado buenas notas. Me tiene más respeto y me mira como si fuera mayor. Papá me palmea la espalda y me suelta cosas como «¡Eh, tío!», que queda fatal delante de los amigos, pero que a mí me emociona. Está contento y no sabe decirlo. Las madres saben decir las cosas. Los padres no.

Se hace el enrollado.

Esto pasa ahora. Antes era muy diferente.

Antes, mis padres me veían como un desastre y lo llevaban fatal. Yo me daba cuenta de que sufrían un montón porque cuando había conversaciones

de padres y madres, de esas donde todos se pican y acaban explicando maravillas de sus hijos, ellos comentaban que el salchichón estaba muy rico y que tenían mucha prisa porque tenían que pasear al perro.

El problema es que no tenemos perro.

Por la noche, tomando la sopa, les pillaba comparándome con mis hermanos y mirándome con cara de resignación. No les gustaba. Se veía a la legua. Si yo hubiera sido una camisa, me habrían devuelto al Corte Inglés diciendo que los cuadritos eran una porquería y que no les hacían juego con los pantalones. Pero un hijo, ya se sabe, no es una camisa. Aunque, la verdad, tampoco hacían ningún esfuerzo por mirarme con otros ojos y descubrir el montón de virtudes que yo tenía. Ni las sabían ver,

...WON'T YOU HELP TO SING,
THESE SONGS OF FREEDOM
CAUSE ALL I EVER HAD,
REDEMPTION SONGS,
REDEMPTION SONGS,
REDEMPTION SONGS
EMANCIPATE YOURSELVES FROM
MENTAL SLAVERY
NONE BUT OURSELVES CAN
FREE OUR MINDS...

BOB MARLEY, "REDEMPTION SONG"

ni las consideraban importantes.

No les importaba nada que yo dibujara cómics guays ni que conociera los nombres de todos los protagonistas de series manga del mundo.

No les importaba que tocara la

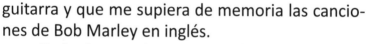

guitarra y que me supiera de memoria las canciones de Bob Marley en inglés.

No les importaba que tirase las tracas más cañeras de la calle.

No les importaba que me estuviera veintisiete minutos seguidos haciendo bailar el diábolo —el récord de la escuela— sin que se me cayera al suelo.

No les importaba que me tocara la nariz con la lengua.

Lo único que les importaba era que sacara buenas notas.

Las notas, las dichosas notas.

Y por eso, para que no se traumatizaran como padres ni se avergonzaran nunca más de mí, decidí darles una alegría muy grande.

El mes de junio llegué a casa con unas nota-zas impresionantes.

Al verlas les cambió la cara y, al levantar la cabeza, me miraron con otros ojos.

Me vieron diferente. **Lo juro.**

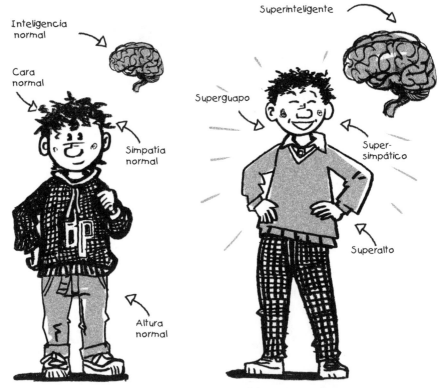

YO, VÍCTOR LLOBREGAT, TAL COMO SOY:

YO, VÍCTOR LLOBREGAT, VISTO POR MIS PADRES:

Inteligencia normal

Cara normal

Simpatía normal

Altura normal

Superinteligente

Superguapo

Super-simpático

Superalto

Y todo por un papelito de nada. Lástima que no se me hubiera ocurrido antes. Es tan fácil ha-cerlos felices.

Sólo tuve que **FALSIFICAR** las notas de final de curso.

2. Las notas del Melón

Falsificar las notas estuvo chupado. Hice una fotocopia del informe del Melón Martínez, que es un crack —y que es el hijo que habrían querido tener mis padres—, borré su nombre con típex y escribí el mío encima imitando la letra de la Terminator, mi **PROFA.** Me quedó genial, parecía escrito de puño y letra de la Terminator.

EL MELÓN MARTÍNEZ

EL NIÑO QUE TODOS LOS PADRES QUERRÍAN TENER COMO HIJO

NOTAS EXCELENTES

LA TERMINATOR

LA PROFESORA QUE NINGÚN NIÑO
DEL MUNDO QUERRÍA CONOCER

Yo, Víctor Llobregat, con las notazas del Melón Martínez.

Una pasada.

Y quizás sí que me pasé un pelín, porque mamá alucinó por un tubo.

—Es…, es increíble, aquí dice que Víctor es ordenado, puntual, estudioso, obediente y perfeccionista —exclamó poniéndose las gafas de ver de cerca por si acaso lo había leído mal.

Pero no, no lo había leído mal.

—Debe de ser un error.

Mi padre le arrancó el papel de las manos.

—Aquí pone Víctor Llobregat.

Mi madre, como todas las madres, tenía intuiciones.

—Hablaré con la Terminator por si se han equivocado de niño.

Me temblaron las piernas hasta que papá intervino buscando una explicación científica.

—A veces los niños tienen una doble personalidad, como el Dr. Jekyll y Mr. Hyde: en casa se comportan de una manera y en la escuela de otra.

VÍCTOR JEKYLL

VÍCTOR HIDE

No era muy creíble que yo tuviera dos personalidades. Pero, de golpe, papá comenzó a dar alaridos.

—¿Qué pasa? —preguntó mamá asustada.

—¡Un 10, ha sacado un 10!

Y mamá, que desconfiaba un montón porque en ninguna parte estaba escrito que me olvidaba el equipo de gimnasia, que dibujaba monigotes en los libros y que escribía historietas chorras de los profes, comenzó a saltar como una loca gritando: «¡No me lo puedo creer! ¡No me lo puedo creer!»

Pero se lo creyeron. Tenían tantas ganas de creérselo que se lo tragaron sin rechistar.

Estaban emocionadísimos los dos. Se abrazaban borrachos de alegría por haber visto el primer 10 de su hijo pequeño y atontados por los 8 y los 9 que los deslumbraban. Y entre besos, lágrimas y apretujones, no se fijaron en el 5 pelado de Educación Física.

EDUCACIÓN FÍSICA **5** SUFICIENTE RASPADO

El Melón Martínez no es perfecto. Él dice que no hay nada que hacer, que es genético, que la genética manda y que él no ha nacido para saltar al plinto como una rana. Estoy de acuerdo. En Conocimiento del Medio nos explicaron que el código genético es como un programa informático que los humanos tenemos programado en nuestros genes antes de nacer. Que todos lo tenemos diferente y que por eso unos son altos y otros bajitos y unos son simpáticos y otros antipáticos. La genética es la culpable de que me duerma en las

Estilazo del Melón Martínez con el plinto.

clases de Sociales y de que haga mala letra en los exámenes. No puedo remediarlo. Mi código genético me predispone a olvidarme la carpeta en la escuela, a perder el libro de Mates, y a pasar de los acentos de las sílabas llanas que están fuera de lugar, en medio de las esdrújulas y las agudas.

Es genético. Y hasta diría que es un gen por parte de madre, porque mi madre nunca encuentra las llaves y no sabe dónde ha dejado el coche aparcado. Eso de los genes y los misterios de la genética nos lo explicó Jaime, un profe muy científico. Se ve que aún no se ha descubierto del todo, pero que los científicos están estudiando el mapa genético y que cuando lo tengan por la mano se darán cuenta de que yo y el Melón Martínez decimos la pura verdad. Él no tiene el gen de saltar el plinto y yo no tengo el gen de recordar dónde he puesto la carpeta. Pero la Terminator no es una profesora científica ni quiere serlo.

Y yo tuve la mala suerte de caerle fatal. Me cogió manía desde el día en que me pilló bostezando en la clase de Lengua y me preguntó si no me interesaba la diéresis. Le contesté la verdad, que si la suprimiesen me quedaría tan ancho, como se quedaron los italianos cuando suprimieron la «h». La Terminator se puso como una moto y desde ese día escribió cosas feísimas en mis informes. Decía que era un jeta, un caradura y un vago. Y que tenía demasiada imaginación. Le molestaba un montón mi imaginación. Decía que era un defecto muy gordo porque, además de dibujar cómics estúpidos, me inventaba los motes de los niños de la clase. Por culpa mía, según ella, se montó el follón de los padres del Melón.

A Ramón Martínez le importaba un pimiento llamarse Ramón o Melón, pero a sus padres no. Un día se presentaron en el colegio, enfadadísimos, pidieron hablar con la directora y le soltaron de buenas a primeras que no permitirían que se ridiculizase el nombre de su hijo y que se le llamase Melón como si fuese un vegetal. Eso era *bullying*. La directora les respondió que se apellidaba Rocafort y que de niña, en la escuela, era conocida como QUESO APESTOSO por culpa del Roquefort de los franceses. Esa sí que no se la esperaban los padres del Melón. La directora les acabó de descolocar con el rollo de los supervivientes. Según ella, los niños con mote eran unos héroes.

LOS MOTES TE HARÁN FUERTE.

LOS SUPERVIVIENTES DE LOS MOTES TRIUNFARÁN.

Pero no les convenció nada.

Los padres del Melón no se rindieron y se entrevistaron con la Terminator, que sí se indignó con la ofensa de llamar Melón a Ramón, y le exigieron que castigase ejemplarmente a los culpables —o sea yo—, cosa que la Terminator —una sádica— hizo encantadísima.

Me quedé un mes sin jugar a fútbol.

Y aun así, los señores Martínez decidieron que el próximo año cambiarían a su hijo de colegio porque no les gustaba nada la directora Queso Apestoso.

El Melón estaba hecho polvo por tener que cambiar de escuela el curso siguiente y muy avergonzado por tener unos padres tan broncas. Reconoció que llamarse Melón era más original que Ramón y que lo de ser el Melón le daba personalidad.

Siempre recordaré al Melón y a sus notas.

El día que las llevé a casa fue el más importante de la vida de mis padres, que finalmente celebraron la fiesta que no habían podido celebrar nunca conmigo.

Dibujé un cómic para inmortalizarla.

LOS PAPÁS METEN UNA BOTELLA DE CAVA EN EL CONGELADOR PARA DAR UNA FIESTA. YO, EMOCIONADO.

PAPÁ INVITA A LOS VECINOS. YO, EMOCIONADO.

ENTRAN TODOS EN EL SALÓN ARMANDO MUCHO JALEO. A PAPÁ SE LE DISPARA EL TAPÓN DE CORCHO. CHOCA CONTRA LA PANTALLA DEL TELEVISOR DE PLASMA. HA QUEDADO HECHO UNA PILTRAFA. YO, HORRORIZADO.

POP

PAF

MAMÁ, EN VEZ DE ENFADARSE, SE RÍE. YO NO. EMPIEZA LA FIESTA Y TODOS BRINDAN POR VÍCTOR, QUE SOY YO.

Cruzo los dedos para que mis padres conser-
ven la ilusión todo el verano y no se enteren nunca

de que los he engañado como a chinos. No quiero que tengan un disgustazo como el que me dieron a mí el día que me explicaron quiénes eran los Reyes Magos.

Y toco madera para que el Melón no sepa nunca jamás que le choricé sus notas.

3. El fantasma del Melón

Es muy fuerte. No me lo puedo creer. Estoy en Transilvania, la tierra del Conde Drácula, y me ha seguido volando el *espíritu del Melón*.

La primera vez se me ha aparecido entre la niebla. Estábamos en un peaje de la autopista de no sé qué país. El cristal se había empañado y yo quería curiosear, así que lo he limpiado con el codo del jersey y he hecho un agujerito justo para ver un autocar detenido a medio metro del nuestro. Y en la ventana, frente a mí, no me lo invento, lo juro, estaba la cara redonda, llena de pecas y con la nariz aplastada contra el cristal del Melón. He cerrado los ojos, los he abierto y cuando he vuelto a mirar hacia la ventanilla del otro autocar ya no había nadie. Al cabo de unos segundos, el autocar se ha puesto en marcha y ha desaparecido en la autopista.

Lo he dibujado para creérmelo.

Era un fantasma. Un fantasma vengativo que me persigue para recordarme que he copiado sus notas. Quizá quiere que se las devuelva. O tal vez me odia por llamarle Melón y ser el culpable de que sus padres lo cambien de colegio.

He palidecido tanto que mamá ha creído que tenía hambre y me ha dado un trozo de chorizo.

Papá, en cambio, ha dicho que mejor que no comiera nada y me ha quitado el chorizo de la boca.

El guía, asustado, me ha traído una bolsa de plástico, por si quería vomitar, para no ensuciar los asientos.

Y todo el autocar se me ha quedado mirando fijamente esperando que yo hiciera algo, porque se había corrido la voz de que había un niño muy mareado.

Yo, el niño mareado, me he convencido de que mi obligación y lo que todos esperaban de mí era que vomitara. Papá, mamá, el guía, el conductor y todo el autocar estaban pendientes de mi vomitera. Y yo venga a mirar la bolsa fijamente sin inspirarme. No me gustaba nada tener tantos ojos clavados en la nuca, me cortaban las ganas de vomitar.

Al cabo de un rato la gente se revolvía nerviosa en los asientos porque yo no vomitaba. Entonces, el chófer ha aparcado el autocar y ha abierto las puertas. El guía, con el micrófono en la mano, ha pedido por favor que el niño mareado y sus padres salieran del autocar. Ha sido un palo levantarme y caminar por el pasillo. Todo el mundo me miraba. Había gente que decía «Míralo, pobrecito», pero un señor con cara de vinagre ha gritado: «Si se ma-

reaba, mejor que no hubiera venido». Y otro, que es del Barça y tiene alergia a los gatos y a los niños, ha añadido: «No se puede viajar con niños». Y una señora de las que siempre meten baza ha opinado: «A los niños se les debe dar una Biodramina por si acaso». Y un chico larguirucho, que va de listo, ha murmurado: «Seguro que ha bebido leche, no se tiene que beber leche antes de viajar. Los chinos no beben leche». Ese chico es de esos a los que resulta muy fácil ponerles un mote. Ellos mismos lo tienen en la punta de la lengua: el Chico de la Leche.

Los papás callaban, pero estaban enfadados. Lo he notado porque me han cogido por el hombro, en plan bestia, y me han aplastado la cabeza contra el suelo.

—Anda, Víctor, que no tenemos todo el día. Vomita ya —ha dicho papá con malas pulgas.

He pensado en algo asqueroso como el hígado de cerdo que me preparó una vez la abuela para cenar, pero no ha sido suficiente. He recordado un documental repugnante en el que el periodista se comía un escarabajo y me ha venido una arcada.

—Ya te ayudo, cariño —ha dicho mamá, más práctica.

COSAS
QUE HE
VOMITADO

LECHE CON COLA-CAO
DEL DESAYUNO

FIDEOS DE LA CENA
DE AYER

UN TROZO DE
CROQUETA DE LA
CENA DE ANOCHE

MEDIO DÓNUT
DEL DESAYUNO

Me ha metido dos dedos en la boca, me ha tocado la campanilla y, si no llega a sacar la mano rápidamente, se la dejo bien embadurnada. He vomitado la tira de cosas.

—¿Te encuentras mejor ahora? —me ha preguntado mamá sonriente.

Está feliz de la vida porque le he hecho quedar bien. Si no llego a vomitar, la habría puesto en un compromiso.

—Estoy muy tranquilo, gracias.

Y es verdad, me he quedado muy tranquilo y muy satisfecho. He hecho felices a cuarenta personas que estaban pendientes de mí por la ventanilla y me he convertido en el niño más famoso del autocar.

El guía ha decidido que los niños viajáramos en el asiento trasero por si nos apetecía vomitar. Así podríamos vomitar tranquilamente sin tener que detener el autocar ni molestar a los demás pasajeros.

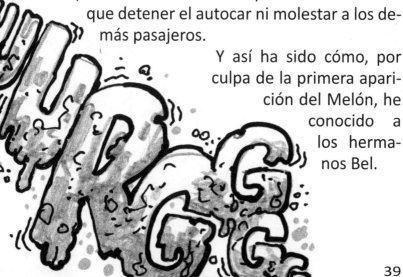

Y así ha sido cómo, por culpa de la primera aparición del Melón, he conocido a los hermanos Bel.

4. Los increíbles hermanos Bel

—No quiero que me ensucies si vuelves a vomitar —ha dicho el hermano Bel levantándose de mi lado y sentándose junto a su hermana, que no levanta la cabeza del libro.

Son bastante diferentes. Ella es escuálida, paliducha y bajita como una japonesa de Hiroshima. Él es alto, rubio y tiene aspecto de bateador de béisbol americano de Boston. Él juega con una PSP y ella lee un libro gordo. Él debe de tener unos doce o trece años, y ella nueve o diez.

Me he conectado los auriculares de mi iPod y he escuchado a Bob Marley resignado a no hablar con nadie. No sé por qué los mayores creen que, si sientan a tres niños juntos, se harán amigos. Es como meter a tres mariquitas en un tarro de vidrio o a tres perros en un *pipican.*

HERMANA BEL YO HERMANO BEL

Al cabo de dos horas la hermana Bel ha terminado un capítulo, ha cerrado el libro con aire despistado, ha mirado a su alrededor como si no supiera dónde estaba, se ha dado cuenta de que yo estaba sentado a su lado y me ha preguntado:

—¿Era croqueta de pollo o de bacalao?

—¿El qué?

Porque no sabía exactamente de qué me hablaba.

—La croqueta que has vomitado.

—De bacalao —he contestado enseguida—.

Me obligaron a comerlas, pero son asquerosas.

—Son más asquerosas las tortillas de sesos, los pies de cerdo y la sangre frita —ha soltado la hermana Bel, experta en temas repugnantes.

Su hermano ha gemido al oírla.

—Calla, por favor.

Pero la hermana Bel ha continuado.

—Y los caracoles, y los mejillones, y las almejas que se comen vivas y se retuercen en la boca soltando baba.

—¡No quiero oírte! —ha gritado el hermano Bel.

Su hermanita, como quien no quiere la cosa, ha continuado. Es impresionante la cantidad de cosas asquerosas que sabe. He dibujado todas las que he recordado.

LOS GUSANOS QUE SE COMEN A LOS MUERTOS.

LAS MOSCAS QUE SE POSAN SOBRE LA MIERDA.

LES MOSCAS QUE ANTES VOLABAN SOBRE LA MIERDA Y QUE AHORA ESTÁN SOBRE EL PAN CON CHOCOLATE.

EL OJO QUE SE ARRANCÓ ANÍBAL CUANDO ATRAVESÓ LOS PIRINEOS MONTADO EN UN ELEFANTE.

aaaH

EL PERRO QUE SE COMIÓ EL OJO DE ANÍBAL.

EL CARTAGINÉS QUE DESTRIPÓ EL PERRO QUE SE HABÍA COMIDO EL OJO DE ANÍBAL PARA COMÉRSELO ÉL.

De pronto, el hermano Bel se ha levantado de un salto, ha cogido mi bolsa de plástico, sin pedirme permiso, y ha vomitado dentro.

—Arroz, calamares a la romana, *crispis* de chocolate y galletas —ha cantado la hermana Bel mirando a través del plástico—. No te comiste el plátano que te dijo mamá.

—¡O te callas o te la vacío por la cabeza! —ha dicho el hermano Bel amenazando a su hermanita pequeña.

Pero ella se ha levantado, lo ha mirado fijamente a los ojos sin parpadear, muy valiente, y le ha susurrado con voz de ultratumba:

—¡Atrévete y verás!

Me ha impresionado. Y a él también. Hay niñas que tienen muy malas pulgas y la hermanita Bel es una de esas. El hermano Bel, lloroso, ha cogido su bolsa y se ha levantado del asiento.

—Vas a los papas, les diré que me has hecho tener ascos y que he vomitado por tu culpa. Te castigarán.

Se ha ido y ha hecho lo que había amenazado. Se ha chivado. Le he visto señalando a su hermana con el dedo desde la otra punta del autocar.

—Tu hermano es un chivato.

—No es mi hermano.

—¿Ah, no?

—¿Cómo quieres que seamos mellizos?

—¿Mellizos? —he dicho yo, muy sorprendido.

—¿Lo ves? Tú tampoco te lo crees.

—Pero ¿sois mellizos o no?

—Eso dicen, pero nos parecemos como un huevo a una castaña. Se equivocaron.

Me he restregado los ojos y los he mirado de nuevo. No entendía nada.

—¿Y por qué se equivocaron? ¿Quién se equivocó?

—Las enfermeras. A veces se equivocan y confunden a los gemelos y cosas así. Yo no soy melliza de Borja y no me llamo Mariona.

—¿Ah, no?

—¡Tú flipas! ¿Tengo cara de llamarme Mariona?

Tiene toda la razón. Ni era la hermana de Borja ni se llamaba Mariona. De hecho, no encajaba nada en aquel autocar.

—Mariona es un nombre ñoño, cursi y relamido —ha dicho frunciendo el ceño.

—¿Y cómo te llamas?

—Cuando encuentre a mis verdaderos padres se lo preguntaré.

—Te puedo llamar Tormenta —le he sugerido

inspirándome en la perra de mi primo, que es negra, muerde a los invitados y tiene tan malas pulgas como Mariona.

Me ha mirado con los ojos tan abiertos que le han ocupado toda la cara y se ha puesto tan blanca que creía que también vomitaría.

—¿Quieres vomitar?

—No, estoy teniendo una revelación.

—¿Una qué? —he preguntado yo, que soy un poco inculto.

—Una revelación es cuando descubres algo que no sabías, pero que es verdad.

—¿Y qué revelación has tenido? —he preguntado yo sin entender demasiado por dónde iba la cosa.

—Que me llamo Tormenta.

Me he quedado planchado porque Tormenta es nombre de perro, como Tobi o Cuqui.

ILUMINACIÓN

—¿Tú crees?

—Sí. Flipo. Tormenta. Mira, mira, se me pone la piel de gallina. Me gusta, me gusta mucho. Quizás sea mi nombre de verdad.

No le he dicho eso de que es nombre de perro para no traumatizarla. Me cae bien.

Nos ha interrumpido el guía a golpe de micrófono.

—Señoras y señores, acabamos de entrar en Transilvania.

Tormenta y yo hemos echado una ojeada rápida por la ventana, nos hemos mirado y hemos pensado lo mismo. No se notaba nada que hubiéramos entrado en Transilvania. La carretera era exactamente igual de aburrida y recta que diez kilómetros antes, los campos eran de color verde

y estaban salpicados de girasoles amarillos que incluso hacían bonito. En vez de ser una tierra tenebrosa y oscura, era soleada, la gente de los pueblos vestía camisetas de colores, comía patatas fritas y jugaba a las cartas. Como si nada, como si fuera un domingo en las Ramblas de Barcelona.

—¿Y los vampiros? —he preguntado un poco mosca.

El guía, que no me ha oído
pero que debe de tener telepatía, ha dicho:

—Y muchos de ustedes, que se han apuntado a este viaje misterioso e inquietante en torno
al personaje de Drácula, se preguntarán por los
vampiros..., ¿verdad? —ha repasado a los viajeros
como un inspector de Hacienda—. Los vampiros
son seres legendarios comunes a muchas culturas
que hizo populares el escritor Bram Stoker. Pero
en realidad no son originarios de Transilvania.

Menuda estafa, he pensado yo. Nos hacen
creer que vamos a la tierra de los vampiros y resulta que los vampiros, a saber, quizás vienen de
La Mancha.

—¿Alguien ha leído la novela *Drácula* del escritor irlandés Bram Stoker?

—¡Yo, yo! —ha gritado el hermano Bel desde
la segunda fila.

—Mentiroso —ha cuchicheado Tormenta en-
señándome el libro que tenía en las manos y que
resulta que era *Drácula*—. Sólo ha leído el resumen en Wikipedia.

Pocos más lectores. Quizás media docena de
manos entre las que estaban las de mis padres. Me
he sentido orgulloso de ellos.

—Veo que tendré que explicar quién era Bram

Stoker y dar cuatro pistas de su novela publicada en 1897. ¿Alguien sabe dónde nació Bram Stoker?

Estaba chupado porque acababa de decirlo, había dicho «el escritor irlandés», pero siempre hay algún notas que se cree muy listo.

—¡Yo, yo! —ha gritado el hermano Bel levantando la mano—. ¡En Irlanda!

—¿Lo ves? —me ha dicho flojito Tormenta—.
¿Cómo puedo ser hermana de esa cosa?

Tiene razón. He compadecido a la pobre
Tormenta por ser la hermana equivocada de su
impresentable hermano. Me he repantingado
en el asiento para escuchar la historia del Conde
Drácula y del irlandés que se lo inventó por el morro: Bram Stoker.

Y como me ha gustado la historia de su vida,
he hecho un cómic.

5. La verdadera historia de Bram Stoker

EN IRLANDA EL AÑO 1847 NACIÓ EL CUARTO HIJO DE LA FAMILIA STOKER Y LE PUSIERON ABRAHAM.

NO LE GUSTA EL NOMBRE.

QUE SE FASTIDIE. CUANDO SEA MAYOR, YA SE LO CAMBIARÁ.

ABRAHAM STOKER NO SÓLO TENÍA UN NOMBRE FEO, ERA UN NIÑO ENFERMIZO. Y COGÍA TODOS LOS VIRUS.

¡MÍO!
¡MÍO!
¡MÍO!

ABRAHAM SE PASÓ SIETE AÑOS EN LA CAMA ABURRIDO.

QUÉ PORQUERÍA, NO SE HA INVENTADO LA TELE, NI EL ORDENADOR, NI LA PLAY, NI LA PSP. SÓLO PUEDO LEER LIBROS.

PERO SU MADRE LE CONTABA CUENTOS DE MIEDO.

¿QUIERES QUE TE CUENTE UNO DE BRUJAS? ¿DE TROLLS? ¿DE ESPÍRITUS?

¡HOY TOCA DE MUERTOS VIVIENTES!

QUIZÁ POR ESO DE MAYOR LE GUSTARON LAS HISTORIAS DE TERROR Y SE INVENTÓ EL PERSONAJE DEL CONDE DRÁCULA.

¡HUY!

¡YA TE DARÉ YO DRÁCULA! ¿NO VES QUE DE DRÁCULA NO COMERÁS?

DE JOVEN ESTUDIÓ MATEMÁTICAS EN UNA UNIVERSIDAD MUY FAMOSA QUE HAY EN DUBLÍN QUE SE LLAMA TRINITY COLLEGE.

DOS ESPÍRITUS Y TRES VAMPIROS SE TRANSFORMAN EN CINCO MUERTOS VIVIENTES.

TRABAJÓ COMO PROFESOR PERO LO QUE LE GUSTABA DE VERDAD ERA CONTAR HISTORIAS DE MISTERIO.

Y ENTONCES, CHUPÓ LA SANGRE DE SU HIJO...

ES INCREÍBLE CÓMO LO ESCUCHAN LOS ALUMNOS. ES EL MEJOR PROFESOR.

POR LAS NOCHES ESCRIBÍA CUENTOS DE MIEDO Y OBRAS DE TEATRO EN UNA REVISTA.

JACK COGIÓ LA ESPADA Y DESPEDAZÓ AL MURCIÉLAGO.

Y GRACIAS A ESO SE HIZO AMIGO DE UN ACTOR QUE SE LLAMABA HENRY IRVING Y QUE ERA UN NOTAS Y UN JETA.

¿SÓLO UN MURCIÉLAGO? VUELVE A ESCRIBIR.

SÍ, HENRY, COMO TÚ QUIERAS...

IRVING, QUE TENÍA MUCHOS ADMIRADORES Y MUCHO DINERO, COMO BRAD PITT, CONTRATÓ A ABRAHAM DE SECRETARIO.

TÚ NUNCA SABRÁS LO QUE ES SER FAMOSO. SE TIENE QUE HABER NACIDO GUAPO.

SE FUERON A LONDRES Y ABRAHAM CONOCIÓ A UNA CHICA Y SE CASARON.

TIENES UNA SANGRE TAN ROJA, TAN DULCE, TAN FRESCA... CÁSATE CONMIGO.

ABRAHAM SE GANÓ LA VIDA HACIENDO DE ESCRITOR Y FORMÓ PARTE DE UNA SOCIEDAD LLAMADA «GOLDEN DAWN», UN GRUPO DE ESCRITORES DE NOVELAS DE TERROR.

ESTE MES NECESITO QUE ESCRIBAS UNA DE ZOMBIS. TENEMOS QUE PAGAR LA ESCUELA DE LOS NIÑOS.

TÚ SÍ QUE ME DAS MIEDO.

UN DÍA SE ANIMÓ A ESCRIBIR UN LIBRO DE VAMPIROS COMO HABÍA HECHO UN AMIGO SUYO.

LOS VAMPIROS SE ALIMENTAN DE SANGRE Y VIVEN ETERNAMENTE.

¿Y TE CREES QUE ALGUIEN SE TRAGARÁ ESA TONTERÍA?

ABRAHAM STOKER CONSULTÓ LIBROS SOBRE BRUJERÍA Y MAGIA NEGRA, Y HABLÓ CON ESPIRITISTAS HASTA QUE FUE UN EXPERTO EN VAMPIROS.

VENGA, VENGA, QUE TIENES QUE TRABAJAR. YA BASTA DE HACER- TE EL VAMPIRO...

ESCRIBIÓ LA NOVELA DEL CONDE DRÁCULA SIN SALIR DE LONDRES. NUNCA ESTUVO EN TRANSILVANIA.

SU PERSONAJE, JONATHAN HARKER, ES UN LONDINENSE QUE VIAJA HASTA ALLÍ.

JONATHAN HARKER COGIÓ UN TREN HASTA BUCAREST.

LUEGO ABRAHAM SE CAMBIÓ EL NOMBRE POR BRAM, QUE ERA MÁS CORTO Y MÁS FÁCIL DE RECORDAR.

¡ME LLAMARÉ BRAM! ¡SERÁ MI NOMBRE ARTÍSTICO!

¿Y POR QUÉ NO ABRA?

LA NOVELA SE PUBLICÓ EN 1897 Y FUE UN ÉXITO.

AGOTADO DRÁCULA

BRAM STOKER SE HIZO FAMOSO, MUY FAMOSO.

SOY IRVING. ANTES ERA FAMOSO.

SI QUIERES QUE TE FIRME EL LIBRO, PONTE A LA COLA.

HASTA QUE MURIÓ EN 1912.

PERO SU PERSONAJE DE DRÁCULA NO HA MUERTO.

VIVIRÉ ETERNAMENTE

GLLLLL

¡UUH!

LAS PANTALLAS LO HAN MANTENIDO CON VIDA Y SE HA CONVERTIDO EN UN MITO.

Y después de hablarnos de Bram Stoker el guía nos dijo que nos empezaría a explicar la novela y preguntó quién sabía cómo se llamaba el protagonista. Todo el mundo lo sabía porque acababa de decir que Jonathan Harker era el protagonista, pero el hermano Bel ha sido el único que ha picado. Ha levantado el brazo y ha gritado:

—¡Yo, yo! ¡Se llama Jonathan Harker!

Si se creía que pegando berridos le regalarían algún caramelo la pifió, porque el guía se ha reído de él diciendo que había un pasajero muy listo que lo sabía todo y que eso no valía, y que por tanto no haría más preguntas.

Tormenta y yo nos hemos alegrado porque los «¡yo, yo!» del hermano Bel nos taladran el cerebro y nos ponen muy agresivos.

—Pues el libro de *Drácula...* —ha comenzado el guía.

—¡Yo, yo me lo he leído! —ha vuelto a interrumpir el hermano Bel, que nació con la mano levantada.

Lo ha dicho sin que viniera a cuento, sin que nadie hubiera preguntado nada. Es un flipado del «yoyo». He comprendido que debe de ser horroroso ser su hermana.

—A lo mejor quieres explicar tú la historia… —le ha ofrecido el guía medio en broma, medio con ganas de estrangularlo.

Pero el hermano Bel se ha puesto rojo como un tomate y ha dicho que no, que gracias, que él no era el guía y que no le pagaban por contar cosas.

—Lo que pasa es que no se lo ha leído —ha dicho Tormenta por segunda vez.

—Sí, Yoyo es un chivato, un pelota y un mentiroso —le he contestado para que estuviese contenta.

Tormenta ha abierto de nuevo los ojos. Es increíble, cuando abre los ojos es como si se convirtiera en una estatua famosa. La estatua de la Libertad o la Venus de Milo o alguna de esas.

¡REVELACIÓN!

—Dilo otra vez.

—¿El qué?

—¿Cómo has dicho que se llama mi hermano?

—Yoyo.

Tormenta ha aplaudido emocionada.

—¡Sí, sí, se llama Yoyo! Es su nombre de verdad.

No me lo puedo creer, la he clavado.

—Ha sido muy fácil...

Pero Tormenta me ha hecho «Chisst», porque el guía había empezado a contar la historia del Conde Drácula de verdad. La que escribió Bram Stoker en 1897 en Londres, antes de que se hicieran tantas películas y lo liasen todo.

6. La verdadera historia del Conde Drácula

He flipado dibujando el cómic. Aquí lo tenéis.

PERO JONATHAN HARKER ES VALIENTE Y EL TRABAJO ES EL TRABAJO.

TOMA UNA DILIGENCIA PARA LLEGAR AL PASO DEL BORGO.

FUERA, FUERA, QUE QUEREMOS IRNOS DE AQUÍ.

SE HACE DE NOCHE Y AÚLLAN LOS LOBOS. EN EL BORGO LE ESPERA UN SIRVIENTE DEL CONDE.

EL POBRE JONATHAN, MUERTO DE MIEDO, SUBE A LA CALESA QUE LE HA ENVIADO EL CONDE.

BIENVENIDO SEÑOR HARKER. SUBA, SUBA.

EL CAMINO ES ESCALOFRIANTEMENTE PELIGROSO. LOS ATACAN LOS LOBOS.

DÉJELO, HOMBRE, YA HA ENTENDIDO QUE NO LE CAE BIEN...

PASADA LA MEDIANOCHE LLEGA A UN CASTILLO EN LO ALTO DE LOS RISCOS.

¿DÓNDE ESTÁ EL CONDUCTOR? LLAMARÉ A LA PUERTA...

LO RECIBE EL CONDE DRÁCULA MUY AMABLEMENTE. UN HOMBRE MISTERIOSO QUE NO COME.

¿Y USTED NO CENA?

NO, COMA, COMA..

EL CONDE DRÁCULA ES MUY CULTO Y PROVIENE DE UNA ANTIGUA FAMILIA.

DESCIENDO INCLUSO DE ATILA.

EL CONDE DRÁCULA LE HA INVITADO PARA PRACTICAR INGLÉS Y APRENDER COSAS SOBRE INGLATERRA.

REPITA: "HOW LONG HAVE YOU LIVED IN LONDON"?

CADA NOCHE LO VISITA PARA CHARLAR. SABE MUCHAS COSAS DE LA HISTORIA DE SU RUMANÍA.

RECUERDO LA BATALLA AL FRENTE DE...

¿ESTABA USTED AHÍ?

NO, NO, ES UNA MANERA DE HABLAR.

PRONTO SE DA CUENTA DE QUE TAMPOCO HAY CRIADOS NI SIRVIENTES.

¡EOOO! ¿HAY ALGUIEN AHÍ?

Y UNA NOCHE DESCUBRE QUE EL CONDE NO SE REFLEJA EN EL ESPEJO.

¿QUÉ PASA AQUÍ?

TODO ES MUY EXTRAÑO. DE DÍA EL CONDE DRÁCULA DESAPARECE Y NO VUELVE HASTA LA NOCHE.

ES QUE SOY MUY DORMI-LÓN, ¿SABE? PERO COMA, COMA, QUE YO YA HE CENADO ANTES Y NO TENGO HAMBRE.

UNA VEZ QUE SE CORTA CON LA NAVAJA DE AFEITAR, EL CONDE SE LE ECHA ENCIMA.

?

JONATHAN, MUERTO DE MIEDO, QUIERE IRSE, PERO YA ES DEMASIADO TARDE.

¡OH, NO, ESTOY PRISIONERO DEL CONDE!

¿QUIÉN ES EL CONDE DRÁCULA? ¿QUÉ QUIERE? ¿DÓNDE SE ESCONDE POR EL DÍA? ¿POR QUÉ LA GENTE DE BISTRITA ESTABA TAN ASUSTADA CUANDO DECÍA QUE SE ALOJARÍA EN EL CASTILLO DEL CONDE?

De pronto, en el momento más emocionante, el guía ha callado y ha dicho que ya continuaría explicándonos la novela otro día, que habíamos llegado a Bistrita y que teníamos que hacer una visita a una iglesia gótica luterana construida en el siglo XIV que hay en la plaza de Bistrita.

Ya empezamos.

Me la sudan las visitas.

¿Por qué suponen que un autocar de españoles que se han apuntado a un viaje para conocer la ruta de Drácula tiene interés en visitar una iglesia luterana?

—¿Qué es una iglesia luterana? —le pregunto a Tormenta, que tiene cara de saber muchas cosas.

—Es una iglesia de un cura que se llamaba Lutero y que era un protestante que se separó del Papa de Roma.

—¡Vamos, Víctor, que no tenemos todo el día! —grita mamá haciéndome una señal con la mano.

Y al mirar por la ventana para comprobar si tengo que coger el jersey o no —en este país no es verano—, lo he vuelto a ver.

Lo juro.

El Melón estaba allí plantado, en la plaza de Bistrita, camuflado entre los turistas. He pegado un grito y me he escondido en el suelo, entre los pies de Tor-

¡¡MIS NOOOTAS!!

menta. Mi madre, asustada, ha venido hacia nosotros con su cámara de fotos nueva en la mano.

—¡Víctor, Víctor! ¿Qué te pasa?

Yo he señalado débilmente hacia fuera, a punto de confesar mi crimen, pero no he tenido fuerzas para hablar, y mi madre ha hecho una interpretación muy suya.

—¡Te has vuelto a marear!

Se me han abierto las puertas del cielo. Me veía incapaz de salir fuera y enfrentarme al fantasma del Melón.

—Levántate, te sentará bien un poco de aire.

He dicho que no y Tormenta me ha echado un cable.

—Estará mejor acostado en el asiento. Yo me quedo haciéndole compañía.

Mi madre ha sonreído y se ha quitado un peso de encima porque le apetecía mucho ver la iglesia luterana y hacer muchas fotos para estrenar su cámara. Seguro que si no la hubiera podido visitar por mi culpa me lo habría reprochado el resto de su vida.

—Gracias, guapa, si empeora nos avisas.

Me ha sacado una foto para probar el *flash* y se ha ido sin ponerme una mano en la frente, como hacen las madres, ni mirarme las pupilas para ver si tengo fiebre. Es muy fuerte porque a veces sospecho que mis padres dicen que me llevan de viaje para que yo me lo pase bien, pero son ellos los que se lo pasan bien.

—La próxima vez lo hacemos al revés —me ha dicho Tormenta.

—¿El qué? —he preguntado sin pillarla.

—En la próxima visita a una iglesia seré yo quien finja estar enferma.

Era muy largo de explicar todo eso del Melón y le he dicho que OK, que nos iríamos turnando en las enfermedades para escaquearnos de las visitas.

Me he adormilado mientras me preguntaba hasta dónde me perseguiría *el fantasma del Melón* y qué tendría que hacer para deshacerme de él.

¿Era un fantasma *con poderes*? ¿Un espíritu *sin cuerpo*? ¿O un vampiro que me quería *chupar la sangre*?

7. La cena de Jonathan Harker

El Melón no puede ser un vampiro. Lo sé porque Tormenta me ha dejado muy claro que los vampiros no pueden aparecer de día. Los vampiros son enemigos de la luz del sol y no podrían pasearse tan frescos por la plaza de Bistrita donde lo he visto por última vez. O sea que he descartado que el Melón tuviera colmillos y me quisiera chupar la sangre. Pero entonces... ¿qué quiere?

Vivo **obsesionado.**

Lo veo en todas partes.

Incluso me ha parecido verlo en el hotel donde estamos nosotros. En el Golden Krone, o sea el Corona de Oro, que es el mismo donde cenó y durmió Jonathan Harker cuando estuvo de viaje en Bistrita.

El guía nos ha explicado que antes no existía porque Bram Stoker se lo inventó, pero que lo construyeron no hace mucho para los turistas como nosotros, que les hace ilusión creer que sí, que están en el mismo lugar que el personaje de la novela.

Es un hotel bastante normalito que tiene un restaurante bautizado como **Jonathan Harker**. Fuera de la sala está colgado el menú de la cena de Jonathan Harker:

Robber Steak
Carne de buey con tocino, cebolla y pimiento rojo

Vino Golden Mediasch

Qué asco. A mí no me gusta el pimiento. Mi padre, en cambio, ha flipado y se ha hecho el listo.

—Eh, para cenar tenemos el menú que cenó Jonathan Harker en la novela. Es increíble.

Le da igual que el hotel no existiera y que Bram Stoker se lo hubiera inventado.

Nos hemos sentado a cenar con los padres de

los hermanos Bel y a mí me ha tocado sentarme junto al Yoyo. Han decidido que, como que éramos dos chicos, nos haríamos amigos y hablaríamos de la Wii, de la PSP y de baloncesto. Pero yo prefiero hablar con Tormenta, que es más enrollada que su hermano.

Todos los turistas del comedor están cenando menos nosotros. Ya nos han marginado. Somos las familias con niños y nos han dado la mesa más cutre, en un rincón cerca de los lavabos, donde ni siquiera nos ven los camareros. Los niños y los perros, ya se sabe, **MOLESTAN**. En las otras mesas han puesto botellas de vino y en la nuestra naranjada, hasta que mamá ha pedido por favor que les sirvieran vino, con su inglés con acento de Calahorra. Menos mal que el camarero había trabajado en un bar de Zaragoza y la ha entendido.

La estafa más grande de todas es que, a pesar de ser una mesa de niños, con bebida para niños y en un rincón de niños, no nos han traído menú de niños.

Yo esperaba espaguetis, macarrones, pollo con patatas fritas, o pizza, por lo menos.

Pero nos han traído Robber Steak.

¡Puaag!

He hecho un dibujo para que no se me olvidara nunca esta horrorosa cena.

He protestado, como Lutero, pero mi padre, que ahora se ha empeñado en educarme gastronómicamente —como dice—, me ha advertido de que no me levantaría de la mesa mientras quedara una brizna de pimiento en mi plato. He observado que Tormenta, disimulando y sin rechistar, lo iba trasladando al plato del Yoyo, que hablaba por los codos y no atendía a nada. El Yoyo no callaba. Lo sabía todo y hablaba de todo. He aprovechado para hacer lo mismo que su hermana equivocada y al cabo de un rato Tormenta y yo teníamos el plato bien limpio de pimiento y cebolla y, en cambio, el plato del Yoyo era una monstruosa montaña de pimiento y cebolla sobre un trozo de carne de buey medio cruda.

—¡Eh, yo no tenía tanto pimiento! —ha protestado al darse cuenta.

—¡Qué barbaridad! —lo ha compadecido mi madre, a quien tampoco le gusta el pimiento y que también ha ido pasándolo con disimulo al plato de mi padre.

—Borja se lo comerá todo, ya veréis. No es un tiquismiquis como Mariona —ha dicho su padre satisfecho.

Y el Yoyo, para dar la razón a su padre, se ha lanzado sobre el pimiento como si le fuera la vida en ello. Se ha puesto rojo del esfuerzo y luego ha exclamado.

—¿Lo veis? ¡Ya me lo he terminado!

Mi padre ha quedado impresionado.

—A este chico se le puede llevar a todas partes.

—Y ha sacado muy buenas notas —ha dicho su madre, que como todas las madres aprovecha cualquier excusa para decir que su hijo ha sacado buenas notas.

—¡El mío también! —ha gritado la mía enseguida.

La pobre es la primera vez que puede decirlo en su vida y por eso se aprovecha.

—Víctor ha mejorado mucho este último trimestre. Ha sacado casi todo sobresalientes. Y por eso hemos decidido hacer este viaje.

La madre del Yoyo suspira.

—Borja saca sobresalientes siempre.

A mamá no le ha sentado nada bien el comentario, pero ha disimulado. La familia Bel ha continuado ametrallándonos con las maravillas del Yoyo.

MARAVILLAS DEL YOYO

ES EL MEJOR DEL EQUIPO DE VOLEIBOL

JUEGA AL AJEDREZ.

TOCA EL PIANO.

BAILA DANZAS TRADICIONALES.

SERÁ INGENIERO AERONÁUTICO.

ESTUDIA CHINO.

—¡Chino! —exclama mi padre atragantándose.

Mi padre tiene debilidad por los chinos. Dice que, como que son tantos, pronto no cabrán en su país, se repartirán por todas partes, nos invadirán y el planeta acabará lleno de chinos que hablarán chino. Pero lo que más le gusta a mi padre de los chinos es su afición a los karaokes. Desde que supo que los chinos cantaban en los karaokes quiere ir a China. El problema es que a papá le gusta cantar canciones de Nino Bravo y no creo que las encuentre en China.

—¿Queréis que os diga **ESTA COMIDA ESTÁ MUY RICA** en chino? —ha propuesto el pelota del Yoyo.

Y sin esperar respuesta, ha empezado a hablar en chino. Sonaba tan desagradable como un aullido de conejo. Luego ha sonreído y ha bajado la cabeza esperando aplausos.

—¡Increíble! —ha dicho mi padre impresionado.

—Alucinante —ha murmurado mi madre para quedar bien, pero sin demasiado entusiasmo.

Quizás a mamá le fastidia que yo no sepa chino ni toque el piano.

—No puede dar un recital de piano porque no nos lo podemos llevar de viaje. No nos cabe en la maleta —chilla la señora Bel riendo de su chiste ella solita.

—Pero el tablero de ajedrez sí que lo tenemos. Si alguien quiere jugar una partidita, que se prepare a perder —remata el señor Bel.

Mi madre, muy humana, se ha dado cuenta de que ya se estaban pasando de la raya y ha desviado la conversación.

—¿Y la niña también toca algún instrumento?

Los padres han callado, un poco avergonzados, y han tosido discretamente.

—Mariona es un poco...

—Especial.

—¡Mariona es tonta! —ha gritado encantado el Yoyo.

—¡Vete a cagar! —ha respondido Tormenta.

—¡Mariona! ¡Esa lengua! —la ha reprendido su madre.

Yo sé que Mariona no tiene un pelo de tonta. Sabe muchas más cosas que el Yoyo, pero no juega a levantar la mano.

—¡Mirad! —ha señalado Mariona de repente en dirección a la ventana.

Todos nos hemos girado pero no hemos visto nada extraño. ¿Sería un fantasma?

—¿Qué has visto, niña?

—Lo siento, me he confundido —se ha disculpado Tormenta con cara de buena nena.

—¡Mariona es tonta y cegata! —ha cantado su odioso hermano bebiendo del vaso de naranjada.

Entonces, Tormenta le ha mirado fijamente y ha vuelto a repetir su frase favorita:

Se estaba cagando. **Lo juro.**

—¡Marionaaaaa! —ha gritado su padre enfurecido—. ¿Otra vez?

¿Tormenta es bruja? ¿Ha lanzado un maleficio a su hermano mellizo?

8. Los ronquidos antiespíritus

Tormenta no es bruja ni tiene poderes. Por debajo de la mesa me ha enseñado un frasco muy pequeño.

—Laxante —ha susurrado.

No me lo puedo creer. Le ha puesto laxante en el vaso de naranjada de su hermano equivocado.

—Cuando me toca las narices le castigo. Se pasará toda la noche en el váter.

Y ha continuado cenando con cara de angelito y ya no ha abierto más la boca. El Yoyo se ha sentado a la mesa con cara de vinagre y ha amenazado a su hermana con una frase que le gusta mucho:

—Me las pagarás.

Tormenta le ha sacado la lengua. Entonces el Yoyo me ha mirado a mí y ha añadido:

—Y tú también me las pagarás.

¿Yo? ¿Yo qué le he hecho? ¿Por qué se mete conmigo ahora? Y como si me hubiera oído, me escupe:

—Me caes mal.

Tormenta ha aclarado:

—Conmigo no se atreve y por eso se pone chulo contigo.

El Yoyo es un broncas y por si acaso he callado. No me quiero llevar un tortazo equivocado del hermano equivocado.

Los tres niños nos hemos quedado en silencio. En cambio nuestros padres y madres cada vez estaban más animados. Se han hecho íntimos tras la segunda botella de vino de Transilvania y han pedido un licor rojo que se llama **DRAKUL.**

Las madres se han explicado dónde compran

los calzoncillos a los niños y los padres qué marca de Frankfurt les gusta más. Al cabo de un rato han criticado los peinados de las presentadoras de los telediarios y han pasado a hablar de karaokes y China. Y yo, mientras tanto, he visto levantarse el espíritu del Melón de una mesa cercana y alejarse pasillo allá. No se ha girado ni una sola vez. No me ha dicho ni mu. Pero está aquí, muy cerca, para recordarme que soy un tramposo y un mentiroso. Me han temblado las piernas y se me ha nublado la cabeza.

Ha sido traumático.

Los padres a veces no tienen consideración.

—Lo acompañaré a la habitación —ha dicho mamá.

Y todo el mundo se ha levantado fingiendo que estaban preocupados por mí. Son muy falsos. Estoy seguro de que si yo me muriera a la familia Bel le importaría un pimiento. A Tormenta no, pero Tormenta no es de la familia Bel.

Confieso que estaba jiñado de miedo y por eso le he pedido a mamá, *porfa,* si como excepción excepcional podía dormir en su habitación. Que no les molestaría, que me dormiría enseguida y que no les oiría si querían charlar o leer o explicarse chistes —porque a veces se ríen mucho—, pero que tenía miedo de las historias de vampiros, de Drácula y de Jonathan Harker.

Mamá me ha dicho que sí y ha sido muy comprensiva.

Papá no es nada comprensivo y se ha enfadado.

—¿Qué hace **ESTE** en nuestra habitación? —ha preguntado señalándome.

Siempre que dice **ESTE** quiere decir que le caigo mal.

—Tiene miedo y no se encuentra muy bien —me ha defendido mamá.

—¿Miedo? ¿Miedo de una novela?

Y mamá le ha hecho pagar la frustración de no poder ir al Caribe.

—La culpa es tuya por llenarle la cabeza con historias de vampiros.

—Las historias de vampiros son inofensivas. ¿Sabes lo que me ha dado miedo a mí? La niña esa, Ma-

riona. Ella sí que da miedo. Drácula, a su lado, es un angelito.

—A mí sí me da miedo Drácula —he protestado—. Soy un niño muy imaginativo y me imagino muchas cosas y ahora tengo la cabeza llena de fantasmas y vampiros.

Y era la verdad. Veía al Melón por todas partes y a todas horas. Supongo que me iré acostumbrando al fantasma del Melón y quizás termine hablando con él y pactando alguna solución para las notas. Pero esta noche no. Esta noche necesito una tregua.

—Vamos, no te enfades, se dormirá enseguida —ha dicho mamá conciliadora.

Yo he fingido que me dormía enseguida y he oído a mamá que decía:

—¿Lo ves, pobre? No molesta.

ZZZZZZZZZ

—¿Que no molesta? ¡Me ha sacado de la cama! ¡Esa era mi cama!

No sé cómo se han apañado con una sola cama porque yo me he sobado de inmediato. Sólo sé que no he tenido pesadillas porque los ronquidos de mi padre ahuyentan a todos los fantasmas del mundo. No hay ni un fantasma que se atreva a cruzar la puerta de la habitación donde duerme mi padre. Los tiene a raya.

Por la mañana, después de levantarme, ducharme, vestirme, salir de la habitación y ver un rayo de sol, he pensado que el día anterior me había obsesionado con el Melón y que había exagerado. Que no podía ir por el mundo viendo fantasmas y que debía ser una alucinación mía.

He entrado en el comedor, he llenado una

bandeja con tres huevos fritos y cuatro lonchas de bacon y, al girarme, plaf, he tropezado de bruces con un tipo bajito, un niño que llevaba una bandeja llena de tazas de *crispis* de chocolate.

—¡Víctor! —ha exclamado el niño dejando caer la bandeja y haciendo un ruido de mil demonios.

Yo, en cambio me he agarrado a mi bandeja bien fuerte y no se me ha caído al suelo, pero me he puesto blanco como un yogur.

No me lo podía creer.

Era el Melón.

9. La cámara perdida

El Melón no es ningún fantasma. Es un niño de carne y hueso. Es Ramón Martínez de verdad, que, casualmente, viaja con sus padres en otro autocar que, casualmente, hace la ruta del conde Drácula, que, casualmente, han elegido la misma agencia y que, casualmente, han escogido los mismos días que nosotros.

Es una **gran casualidad** hecha de muchas **casualidades pequeñas.** Como la vida, que es una casualidad. A mí me tocaron mis padres por casualidad y a la pobre Tormenta le tocaron los suyos también por casualidad. A veces se tiene suerte y a veces no.

Yo he tenido la mala suerte de que el Melón haga la ruta del Conde Drácula con sus padres.

Y es mala suerte por tres razones.

PRIMERA:

SUS PADRES ME ODIAN PORQUE PUSE EL NOMBRE DE MELÓN A SU HIJO.

SEGUNDA:

EL MELÓN PODRÍA LLEGAR A SER VIOLENTO SI SE ENTERA DE QUE LE COPIÉ LAS NOTAS.

TERCERA:

MIS PADRES ME ARRESTAR SI SABEN QUE LOS ENGA FALSIFIQUÉ LAS NOTAS D MELÓN.

Lo siento porque el Melón se ha emocionado mucho al verme y ha vuelto a repetir que yo era su mejor amigo, que nuestro destino mágico hacía que coincidiéramos en este viaje sanguinario y que estaba muy triste porque el próximo curso no iríamos a la misma escuela. Yo le he recordado que sus padres querían mi cabeza por llamarle Melón y le he pedido por favor que disimulásemos y fingiésemos que no nos conocíamos. Demasiado tarde. Sus padres han entrado en el comedor y nos han pillado en el suelo recogiendo pedacitos de taza y *crispis* de chocolate.

—¡Ramón! ¿Qué ha pasado?

—¡Nada, hemos tropezado y se me ha caído la bandeja!

—Hola, me suenas —ha dicho la madre del Melón estudiándome detenidamente, como si me desnudara—. Te conozco —ha dicho al final satisfecha.

El padre también me ha observado como si yo fuera un asesino en serie y ha chasqueado la lengua.

—De la escuela —ha dicho.

—¡Sí! —ha añadido la madre—. Un niño de la escuela —me ha escaneado con los ojos—. ¡A punto de hacer sexto!

El padre, continuando su juego, ha entrecerrado los ojos y ha gritado:

—¡De la clase de Ramón!

Yo y el Melón cada vez estábamos más amedrentados.

—Sí, es una casualidad —ha dicho el Melón muy flojito.

Yo temblaba porque si por la cara no me habían reconocido me identificarían por el nombre y después del «me suenas» tocaba aquello de «¿cómo te llamas?». Por eso, al ver a mi madre haciéndome muecas desde la otra punta del comedor, me he fugado a toda pastilla sin despedirme, como si fuera un niño salvaje y maleducado.

Mientras me escapaba, he pensado que los padres del Melón me daban miedo y que me recordaban los *cowboys* de las películas. Eran tiesos, mandones y misteriosos, y en lugar de mirarte, te radiografiaban.

—Víctor, acompáñame —me ha dicho mi madre, asustada, cogiéndome la mano.

—¿Dónde?

—No se lo digas a nadie, pero me dejé la cámara de fotos en la iglesia luterana.

Mamá es así. Se lo deja todo. Las llaves, el sombrero, el billetero. A mí me olvidó en el supermercado cuando era pequeño. Y ahora va y resulta que ha perdido la cámara que le regaló papá por su cumpleaños y que es superbuena.

—Corre, corre, antes de que salga el autocar. Nos da tiempo de ir y volver.

He aprovechado la excusa para perder de vista al Melón y a su familia. Me he tenido que apresurar porque mi madre corría como una loca y no me dejaba ni respirar.

—Es por aquí, ¿verdad?

No tiene sentido de la orientación y se pierde siempre.

—No, es por allí —le he tenido que decir un montón de veces.

Por eso quiere que la acompañe, para no perderse. Yo no puedo entender que haya ido

cien mil veces al mismo dentista y que siempre se meta en la calle de la derecha en lugar de en la de la izquierda. Ni que mire los mapas al revés. Por suerte no he heredado el gen de perderse de mi madre. Debo de tener el gen de entender los mapas por parte de padre. Y por eso mamá me utiliza siempre y me dice: «Anda Víctor, acompáñame».

Es una táctica que usa desde que soy muy pequeño. Antes me hacía ilusión, pero ahora me doy cuenta de que me utiliza y que eso de acompañarla a todas partes es como un trabajo. Quizás cuando sea mayor podré trabajar de persona que acompaña a otras. No sé si existe este oficio, pero yo lo he practicado mucho con mi madre.

—¿Estás seguro de que era por aquí? —me pregunta por cuarta vez.

—Mira, ya estamos. Aquí tienes la iglesia luterana —le señalo.

Mamá mira hacia todos lados despistada. No sabe dónde está y no le suena de nada la plaza de Bistrita. ¿Tiene ojos en la cara?

—No la encontraremos —la aviso—. Se la debe de haber llevado alguien.

Soy muy realista y sé que las cámaras olvidadas no duran nada. Siempre hay algún turista dispuesto a probarla para ver si hace las fotos mejor que la suya.

Hemos entrado resoplando en la iglesia detrás de un grupo de japoneses que sacaban fotos de todas las sillas y de todas las baldosas.

Mi madre ha corrido hasta un banco y se ha sentado.

Y lo que ha pasado lo he dibujado porque **TODAVÍA** no me lo creo.

94

Hemos regresado a toda pastilla sacando el hígado por la boca y sospechando, sin decírnoslo, que llegábamos tarde. A pocos metros de llegar mamá se ha detenido, me ha dado a mí la cámara y me ha pedido que la escondiera para que papá no se enterara de que la había perdido. No he tenido tiempo de pensar si lo que hacía era un delito. Me he metido la cámara en el bolsillo del pantalón y he continuado corriendo.

Y ha pasado lo que los dos nos temíamos.

El autocar se encontraba delante del hotel. Todos los pasajeros estaban dentro. Y el autocar nos estaba esperando a nosotros dos.

Los pasajeros estaban mosqueados, el guía estaba serio y papá estaba enfadadísimo. Nos ha recibido en la puerta, con cara de vinagre.

—¿Dónde demonios os habíais metido?

Una pregunta de esas que se hacen pero que no se contestan. No podíamos porque apenas teníamos aire para respirar, estábamos en el *sprint* final de la maratón.

—¡Daos prisa! —ha dicho para quedar bien ante los demás pasajeros.

Y al subir las escaleras nos ha machacado:

—¡Llevamos media hora esperando!

Hemos subido de un salto, la puerta se ha cerrado detrás de nosotros, el autocar ha arrancado bruscamente haciéndonos caer, a mamá y a mí, encima del Chico de la Leche y de la señora de la Biodramina. Hemos pedido perdón, nos hemos puesto en pie y entonces ha pasado otro milagro.

¿Soy un ladrón?

10. El paso del Borgo

El autocar está saliendo de Bistrita y por la ventana reconozco la iglesia luterana que he visitado a toda prisa con mamá. Me parece curiosa y original. Con sus pináculos y ese aire nórdico de castillo de hadas.

Tormenta cierra la última página del libro, suspira, me guiña el ojo y me dice bajito:

—El Yoyo ha pasado la noche sentado en el váter.

Lo miro de soslayo y lo veo más delgado, como si se hubiera vaciado, y con unas ojeras enormes. Se fija en que lo estoy observando y gruñe como un oso.

—Me las pagarás por partida doble.

¿Y yo qué le he hecho ahora?

—Se ha mosqueado porque nos has hecho esperar —me chiva Tormenta—. Quiere llegar al paso del Borgo. El muy tonto se cree que es un lugar emocionante.

El paso del Borgo no tiene nada de especial. Es un trozo de carretera de montaña que sube. Por eso, y para no aburrirme, he pedido el libro de *Drácula* a Tormenta, que ya se lo ha acabado, y he leído lo que decía Bram Stoker del viaje que hacía Jonathan Harker para subir el falso paso del Borgo y compararlo con el nuestro. Su paso del Borgo (el de mentira que se inventó Bram Stoker) tenía más cosas que el nuestro.

He dibujado las cosas que decía Bram Stoker que tenía su paso del Borgo.

He dejado de leer porque he notado un pestazo. Me he tapado la nariz y me he dado cuenta de que Tormenta también se la había tapado.

—Borja se ha tirado un pedo —ha dicho Tormenta.

—¡No es verdad! ¡Mentirosa! ¡Es el abono del campo! —ha gritado el Yoyo.

Pero yo sé que era verdad. He procurado no respirar mucho y he continuado leyendo, pero una luz me ha deslumbrado y me ha hecho cerrar los ojos. Era el *flash* de la cámara de mi madre, que se había levantado de su asiento y había venido a hacerme una foto.

—Continúa leyendo, que te hago otra. Es increíble. El primer libro que veo en tus manos.

Mi madre se ha pasado. Tormenta me ha mirado mal y, como me ha dado vergüenza, le he mentido.

—Leo a escondidas todas las noches.

Tormenta ha asentido, muy comprensiva.

—Mis padres se enfadan mucho si me encuentran leyendo en la cama.

Pensaba que se cachondeaba de mí, pero no.

Me ha enseñado una linterna muy pequeña que llevaba en el bolsillo.

—Me tapo la cabeza con la colcha y enciendo la linterna, así no me ven.

He tragado saliva. No me lo puedo creer. Hay hijos que leen a escondidas de sus padres. Hay padres que no dejan leer a sus hijos.

Como yo tengo unos padres que estarían encantados de que leyera, puedo hacer dos cosas:

1) CAMBIAR A MIS PADRES POR LOS DE TORMENTA

2) LEER

—¿Me dejas el libro de Drácula para leérmelo? —le he preguntado a Tormenta.

A continuación, he empezado a leerlo por el principio de todo. Y puesto que ya tenía el gusanillo de saber cómo eran los vampiros y cómo chupaban la sangre y esas cosas, me he enganchado, y estaba tan flipado que no me he dado cuenta de que llegábamos al paso del Borgo, que no es gran cosa y que no se parece nada al que describió Bram Stoker. El guía nos ha dicho que se confundió. Los atlas de la época debían de ser una caca y se equivocó de montaña.

Al abrirse la puerta el Yoyo ha saltado fuera, corriendo, y se ha metido detrás de unos matorrales casi sin tiempo de bajarse los pantalones y esconderse. Ha enseñado el culo a todo el autocar.

Yo no me he fijado mucho porque al poner los pies en el suelo me he quedado paralizado viendo cómo el Melón se acercaba derecho a mí, con su padre a un lado y su madre al otro. Uno a cada lado como los tres magníficos. Caminaban sincronizados, los tres a la vez, y me miraban fijamente.

Iban a por mí. Lo sabían todo. Me desollarían vivo.

—Hola, Víctor, mis padres te quieren saludar —me dice el Melón a medio palmo de mi nariz.

Y su padre me ofrece la mano como si me fuera a esposar.

—Hola, Víctor. Ramón ya nos ha explicado que eres muy amigo suyo.

Su madre, en vez de darme un beso, también me ofrece la mano, seria, como si fuera un sargento de la guardia civil.

—Hola, Víctor. Ramón nos ha hablado mucho de ti.

No he sabido qué cara poner, ni qué decir ni dónde mirar, pero no ha sido necesario porque el Melón me ha salvado y se me ha llevado a un rincón a explicarme algo que yo no sabía.

—Mi padre es policía municipal y mi madre guardia civil.

—¿¿¿Qué??? —grito yo, asustado.

Me encerrarán.

—Por eso no puedo esconderles nada. Lo adivinan todo y, si no lo saben, lo investigan. No podía esconderles tu nombre.

Y de pronto lo he entendido: he entendido la bronca que montaron en la escuela, la forma como me miraban y la manera de dar la mano.

—¿Y por qué no me han detenido?

El Melón me ha quitado un peso de encima.

—*Tranqui.* La Terminator no les dijo nunca quién era el niño que me había puesto Melón.

—¿Y qué harían si descubren que fui yo?

El Melón ha callado y no me ha querido asustar, pero como tengo bastante imaginación me he ido imaginado cosas **horrorosas.**

COSAS HORROROSAS QUE ME HARÍAN LOS PADRES DEL MELÓN SI SE ENTERAN DE QUE YO ME HABÍA INVENTADO EL MOTE DE SU HIJO

HACERME COMER 30 RACIONES DE ROBBER STEAK.

APRENDER CHINO CON EL YOYO.

HACERME TRABAJAR EN UN INVERNADERO Y COMER MELÓN CADA NOCHE PARA CENAR.

COME.

—¿Y cómo se conocieron una guardia civil y un policía?

—Mi madre puso una multa de tráfico a mi padre.

—Es muy romántico —he pensado en voz alta—. En cambio los míos se conocieron en un curso de inglés. Son unos matados.

De hecho no es importante cómo se hayan conocido los padres y las madres. Lo importante —me he dicho— es que mis padres y los padres del Melón no se conozcan **NUNCA**. Sería terrible que mis padres hablasen de las notas y se dieran cuenta de que eran las mismas que las de mi amigo. Como mínimo los padres del Melón me esposarían y me enviarían a una prisión de máxima seguridad.

—Víctor, Víctor, ponte aquí, con el castillo de Drácula al fondo. Y tú también, guapo. ¿Cómo te llamas?

Mi madre, como siempre, es la cosa más inoportuna del mundo.

—Melón…, quiero decir Ramón.

—Víctor, preséntame a tu amigo.

—Ramón Martínez.

Mamá exclama:

—¡Ya sé! ¡De tu escuela! Qué pequeño es el mundo. Hola, Ramón —ha gritado ahogando al pobre Melón, que no está acostumbrado a recibir besos de madres impetuosas como la mía.

—¿Y tus padres?

El Melón ha señalado vagamente hacia un montón de turistas con la esperanza de que no los reconociera y cambiara de opinión.

—Voy a saludarlos enseguida —dice mi madre.

Y me mira a mí.

—Comeremos juntos —y añade—: Será divertido, ¿verdad?

Divertidísimo. **Ja, ja.** Me parto de risa sólo de pensarlo.

Imposible hacerla cambiar de opinión. Mamá es de ideas fijas e improvisadas. Nunca sabes de qué mal morirás.

Bram Stoker no imaginaba que pudiera haber en el mundo algo más terrorífico que su conde Drácula: UNA COMIDA DE LOS LLOBREGAT, LOS MARTÍNEZ Y LOS BEL.

He sacado mi cámara robada y he hecho una foto al paso del Borgo. A lo mejor es la última foto que hago en mi vida.

11. Los calzoncillos del Yoyo

Quizás no sea el niño que saque las mejores notas del mundo, pero seguramente soy el niño que puede adivinar más cosas del mundo. He tenido la sospecha de que mezclar las familias Martínez, Bel y Llobregat sería peor que lanzar una bomba nuclear.

Soy un niño adivino.

Hemos llegado al castillo de Drácula, pero no es un castillo. Es un hotel con pinta de sanatorio de tuberculosos de la sierra, que a la entrada tiene unas murallas de cartón pintadas de color marrón donde hay un escudo hortera con la 𝒟 de Drácula.

Es el hotel-castillo Drácula y lo han construido hace poco en el lugar donde decía la novela de Bram Stoker que estaba el castillo del conde.

No da miedo. Da risa. El chico que ha venido a recoger las maletas lleva unos dientes de Drácula postizos y una capa negra. Como si fuera un vampiro.

Nos han dejado las maletas en las habitaciones y ha resultado que estoy en el mismo piso que el Melón y los hermanos Bel. Yo estoy en la habitación 403, el Melón en la 402 y los hermanos Bel en la 404. El Yoyo ha dicho que él tenía la habitación capicúa y nosotros no. No le hemos hecho caso y hemos fisgoneado. Está lleno de niños japoneses que dicen que son coreanos. A mí me parecen todos iguales y no sé si creérmelos. Y como a mí me gustan más los japoneses les he dicho mi nombre: **Víctor Yubakuto.**

Hay mucho jaleo porque los niños juegan por los pasillos. Debe de ser la planta de los niños. Hemos comparado las habitaciones para ver cuál era la mejor. Tormenta y el Yoyo tienen bañera y en cambio el Melón y yo tenemos ducha, pero el Melón tiene tele y yo tengo un despertador digital con música. Tormenta ha encontrado un programa de *videoclips* cutres que mola mucho en la tele del Melón. Los cantantes van vestidos con trajes de colores chillones que les marcan los michelines y que recuerdan a Elvis Presley. Nos hemos quedado los tres mirando el programa. El Yoyo no, porque ha dicho que la bañera era suya, la ha llenado de agua y se ha metido dentro.

Tormenta ha aprovechado que estaba ocupado para robarle sus calzoncillos y nos los ha enseñado de lejos.

パンツ*

Nos hemos reído un montón hasta que los papás nos han avisado por el teléfono diciendo que bajáramos con las botas de montaña puestas y el anorak y que dejáramos de perder el tiempo. Hemos abandonado al Yoyo en la bañera y hemos bajado a toda pastilla.

Los guías nos han repartido unas bolsas de papel en las que ponía **Picnic** porque haremos una excursión y comeremos en la montaña. Hemos mirado qué había dentro y no

* CALZONCILLOS tenía demasiada buena pinta: un bocata de queso, otro de un embutido muy extraño de color naranja, un trozo de lechuga y un yogur. En cambio el Melón tenía un huevo duro y un plátano. Es un enchufado porque viaja en otro autocar de más categoría que el nuestro. Nos ha dicho que partiría el huevo en tres pedazos y lo compartiríamos, pero que el plátano no, porque tiene mucho potasio y él necesita potasio.

Cuando ya estábamos dentro del autocar a punto de arrancar, el guía ha contado a los pasajeros y se ha dado cuenta de que faltaba uno. Era el Yoyo, que se había quedado en la bañera y que ya debía de estar arrugado. Su padre ha metido bronca a Tormenta por no avisarle y ha ido a buscarlo. El Yoyo ha llegado chorreando como un calamar y nos ha echado una mirada asesina.

Una vez sentado ha susurrado por lo bajini:

—Me las pagarás.

Ahora ya me lo conozco, ladra mucho pero no muerde. Sólo sabe amenazar, pero no tiene imaginación para inventar venganzas.

Por fin el autocar se ha puesto en marcha, pero al cabo de un segundo ha frenado en seco. Se han abierto las puertas y ha entrado un guía japonés con los calzoncillos del Yoyo en la mano. Nuestro guía los ha cogido con asco, con la punta del paraguas, y se los ha enseñado a todos los pasajeros, que se tapaban la nariz y hacían «ags». Tormenta y yo nos meábamos de la risa y teníamos que disimular para que el Yoyo no se diera cuenta. Cuando ha llegado a nuestros asientos, Tormenta ha señalado al Yoyo y ha dicho:

—Son suyos.

Yo no habría sido capaz, pero Tormenta sí. Es una niña muy valiente y muy cañera.

El Yoyo los ha cogido super-mega-avergonzado y se los ha metido en el bolsillo. Después nos ha vuelto a decir:

—Me las pagaréis.

Está rayado y no nos da miedo.

Enseguida nos hemos olvidado de las amenazas del Yoyo porque el guía nos quería dar miedo de verdad y nos ha estado contando historias de esas que no me dejan dormir por las noches. Nos ha dicho que los vampiros que se inventó Bram Stoker no son exactamente rumanos, pero que en Rumanía, por las noches, los bosques están llenos de espíritus y monstruos.

SERES TERRIBLES RUMANOS

STRIGOIS

SON MUERTOS VIVIENTES QUE MOLESTAN A LOS QUE SE PIERDEN.

MOROIS

TE MATAN DEL SUSTO.

VARCOLACI

BESTIAS TERRIBLES

PRICOLICI

SON COMO LOBOS HAMBRIENTOS QUE SE COMEN LA LUNA Y A LOS TURISTAS.

Entonces, el Chico de la Leche —que lo sabe todo— ha dicho que sí, que en Rumanía hay vampiros y que él lo sabía porque había leído muchos libros. El guía ha reconocido que hay muertos que no se mueren del todo y fingen que están vivos para alimentarse de la sangre de la familia y los vecinos. Por eso la gente cuelga ajos y cruces en las puertas de las casas y a menudo van al cementerio para saber si hay alguna tumba abierta o algún ataúd vacío.

He tenido un escalofrío y el Yoyo también. Tormenta no. Es muy valiente y ha dicho que se pueden reconocer a los vampiros a la primera porque no les gustan los ajos. Y si alguien no se come los ajos que le ponen para cenar, los rumanos lo decapitan y le clavan una estaca en el corazón. Me ha parecido muy bestia y me he alegrado de no ser un niño rumano.

Hemos llegado a la montaña y cuando hemos salido del autocar estaba lloviendo. El autocar del Melón ha llegado antes y el Melón, que había tenido tiempo para explorar, nos ha enseñado un rincón muy guay lleno de charcos y barro. Hemos jugado a saltarlos y el Yoyo no se ha caído, yo me he caído una vez, Tormenta dos, y el Melón cuatro y se ha quedado hecho un asco. Sus padres lo han regañado, claro, y él se ha defendido diciendo que se ha caído por culpa del gen de saltar que le falta, pero sus padres, que no son científicos, no se lo han creído y lo han castigado sin plátano.

Ahora el Melón no tiene plátano —ni potasio— y está fatal. Sus padres se avergüenzan de él porque es un patoso y además está hecho un

lío. Dice que hace tiempo que le da vueltas a algo y como no encuentra la respuesta a su pregunta nos la ha hecho a Tormenta y a mí.

PREGUNTA DEL MELÓN

¿CÓMO PUEDE SER QUE SUS PADRES FUESEN LOS MEJORES EN EDUCACIÓN FÍSICA DE SU CLASE?

SI LOS GENES SON GENÉTICOS Y SE HEREDAN DE LOS PADRES...

¿Y QUE ÉL, EL MELÓN, SU HIJO, SEA UN DESASTRE?

Para tranquilizar al Melón, le he dicho que a veces los genes se heredan directamente de los abuelos. Lo sé porque yo tengo los ojos verde safari y siempre me dicen que son por parte de mi abuela. Tormenta, en cambio, le ha dicho muy segura que lo suyo era una mutación.

El Melón ha dicho que sus abuelos eran perfectos y que lo más probable es que él fuera un mutante.

El Yoyo, que nos estaba espiando, le ha cantado «mutante, mutante».

GENES MUTANTES DEL MELÓN

Por suerte, el guía nos ha convocado a golpe de silbato y nos ha explicado la excursión que haríamos. Subiríamos a lo alto de una colina desde donde se ven los bosques de coníferas —que son pinos y abetos— de Transilvania y la sierra del Borgo. El guía nos ha explicado que estamos en medio de los Cárpatos, la cordillera más alta de Centroeuropa, que aún conserva osos y lobos. Estamos en la frontera de Transilvania y la Bucovina, la región que hay más al norte. En resumen: nos espera un marrón de dos horas y a quien no le guste que se fastidie, porque el viaje era de emoción y de aventura y hoy toca aventura, y que por eso nos hemos calzado las botas y hemos cogido los anoraks. Al ver que poníamos caras largas, el guía ha exclamado:

—Habrá premio para quien llegue el primero.

—¡Yo! ¡Yo! —ha gritado el Yoyo.

Y ha salido corriendo a toda castaña montaña arriba y nos ha dejado tranquilos dos horas.

Es un matado.

Y el premio era una estafa. Le han regalado

un huevo duro. Al verlo, el Yoyo ha puesto morros y ha dicho que prefería un huevo Kinder con sorpresa, pero el guía, que me parece que empieza a estar harto del Yoyo, le ha dicho que si no lo quiere ya se lo come él. El Melón le ha enseñado su huevo duro —de buen rollo— y le ha dicho que él también tenía un huevo duro sin ser el primero y que no hacía falta correr tanto.

—Me las pagarás, Mutante —le ha contestado el Yoyo con malas pulgas.

El Melón, que estaba blando por el plátano y el gen mutante de saltar, ha quedado muy afectado por la amenaza. Tormenta y yo lo hemos animado y medio lo hemos convencido de que el Yoyo es inofensivo. Pero como el Melón es hijo de policías y es muy desconfiado y muy neuras, nos ha dicho que no, que el Yoyo tenía cara de delincuente y que delinquiría en cualquier momento que tuviera ocasión. Nos ha mirado como miran sus padres y ha dicho flojito que la víctima podría ser cualquiera de los tres.

Seguro que soy yo. Siempre me toca recibir.

12. El picnic

Efectivamente. He sido yo. Lo sabía. Sabía que me tocaría ser la víctima del Yoyo. Ahora estoy en sus manos.

Todo ha comenzado en el *picnic*. Yo ya sospechaba que juntar a las familias Martínez, Bel y Llobregat era un bombazo peligroso. Pero ha sido mucho peor de lo que me suponía. Los niños estábamos calladitos, porque nos habíamos cansado subiendo, pero los padres no paraban de picarse. Ha comenzado el papá Bel, encantadísimo de que su hijo hubiera llegado el primero a la cumbre.

—Borja está hecho un atleta. Los equipos de voleibol se lo rifan y su profesor de Educación Física nos pidió que lo apuntáramos a los campeonatos de atletismo. Tiene unas marcas impresionantes.

Los padres del Melón sufrían. El Melón sufría. Yo sufría. Mi padre se ha picado y ha metido la gamba.

—Víctor tiene muchas cualidades para el baloncesto. Encestando es un crack.

Yo he callado, los padres del Melón han callado y el Melón ha callado. Mi madre lo ha querido arreglar y lo ha estropeado más.

—¿Y Ramón qué deporte hace?

Ha habido un silencio espectral. Hay cosas que no se pueden explicar con palabras.

Mi madre se ha dado cuenta de que ha metido la pata. Por suerte, mi padre la ha sacado del embrollo.

—Qué casualidad que Ramón y Víctor vayan al mismo colegio, ¿verdad?

—Sí. Es una casualidad.

Yo he empezado a sudar.

—Y aprietan bastante. Muchos deberes, muchos exámenes —ha comentado mi madre.

La madre Bel, celosa, ha metido baza.

—El colegio de Borja es muy duro, muy serio, y sin embargo Borja ha sido el primero de la clase. Ha sacado ocho sobresalientes y dos notables.

—Víctor ha sacado nueve sobresalientes y un suficiente —ha soltado mi madre de carrerilla, ahogándose de la emoción porque era la primera vez que podía decir algo así en público.

Yo me quería fundir y he mirado al Melón, que se ha quedado helado.

—Ramón también, qué casualidad —ha dicho la madre del Melón.

Mi madre ha sonreído a la guardia civil y le ha hecho una confidencia horrorosa.

—Estamos muy contentos porque finalmente en el informe nos han dicho que asume sus responsabilidades con madurez, constancia y esfuerzo.

El policía, que a lo mejor trabaja en la brigada de delitos informáticos, se ha rascado la cabeza y yo he temblado.

—¿Estáis seguros de que no tienen un virus en el ordenador?

—¿Por qué? —han preguntado mis padres.

—Porque ya es mucha casualidad. Son las mismas palabras que le han puesto a Ramón.

INFORME RAMÓN MARTÍNEZ
Asume sus responsabilidades con madurez, constancia y esfuerzo.

INFORME VÍCTOR LLOBREGAT
Asume sus responsabilidades con madurez, constancia y esfuerzo.

Ramón me ha mirado con los ojos a punto de salírsele de las órbitas y por un instante me ha parecido que reventaría y lo contaría todo. Lo he cogido de la mano, como hacen las niñas, y he dicho bien alto y bien claro:

—Ramón y yo nos vamos a mear.

Y me lo he llevado lejos, donde nadie nos pudiera oír. Estaba tan agobiado que no me he dado cuenta de que el Yoyo también se ha levantado detrás y nos ha seguido. Una vez solos el Melón y yo, le he explicado como he podido que el último día de curso había falsificado sus notas, y luego le he pedido perdón.

—Lo siento, lo siento, perdóname, perdóname, no lo haré más. Ya sé que es muy feo, que

no se fotocopian las notas de un amigo, pero sólo quería que mis padres fueran felices.

Esperaba un tortazo o un berrido, pero el Melón me ha abrazado y me ha dejado planchado.

—Estoy muy contento de que hayas fotocopiado mis notas.

—Pero, pero... ¿por qué? —he tartamudeado.

—Pues porque ahora somos **HERMANOS DE NOTAS.** Tenemos las mismas notas, y estamos unidos por nuestras notas.

Genial. Es simplemente genial. El Melón es **GRANDE.**

—Es un secreto —le he recordado.

—Seré una tumba —ha dicho muy serio el Melón.

—Meemos juntos —le he propuesto.

Las meadas unen mucho, sobre todo si meas a la vez y apuntas al mismo árbol. La verdad es que me he emocionado y, mientras meábamos juntos, he pensado que el Melón era el mejor amigo que había tenido nunca.

Y de pronto, cuando creía que todo se había arreglado, ha pasado algo **terrible.**

Le ha hecho tanta gracia verme bailar la danza de los siete velos (o sea siete toallas) que ha dicho que quería una foto. Me ha cogido la cámara robada y se la ha quedado. Lo he dejado maquinando cómo me humillará esta noche.

Sólo de pensarlo ya tiemblo.

Mi vida es como una pesadilla. Está llena de mentiras, estafas y amenazas.

Drácula no existió.

Bram Stoker nunca estuvo en Transilvania.

El castillo del Conde Drácula es un cuento.

Y yo, yo... soy la víctima del YOYO.

El Melón tiene toda la razón: el Yoyo es un delincuente.

13. La verdadera historia de Vlad Tepes

Por la noche, una vez ha oscurecido, el guía nos ha hecho entrar en una sala tétrica, medio en penumbra. Llevaba un candelabro con velas encendidas en la mano. Iba vestido con una capa negra y tenía los ojos más oscuros y los labios más rojos. Seguramente se había maquillado, pero molaba cantidad. Yo me he sentado tan lejos del Yoyo como he podido, y el Melón y Tormenta, que son mis aliados, se han puesto a ambos lados para protegerme.

¡Qué bien! Durante el rato que estaremos escuchando al guía podré olvidarme del Yoyo y su chantaje.

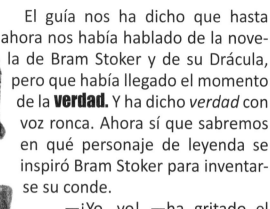

El guía nos ha dicho que hasta ahora nos había hablado de la novela de Bram Stoker y de su Drácula, pero que había llegado el momento de la **verdad.** Y ha dicho *verdad* con voz ronca. Ahora sí que sabremos en qué personaje de leyenda se inspiró Bram Stoker para inventarse su conde.

—¡Yo, yo! —ha gritado el Yoyo.

Pero el guía lo ha mirado fijamente, intimidándolo, y el Yoyo ha bajado la mano enseguida.

El guía ha puesto en marcha el rollo de dar miedo y ha continuado diciendo que ahora sí que temblaríamos, porque si bien el Conde Drácula no existió, Vlad Tepes el Empalador, sí.

Juraría que he notado una bocanada de aire frío en la nuca.

Y Tormenta. Y el Melón. Y todo el mundo.

—¿Habéis notado el aliento de voivoda Vlad Tepes? El príncipe más cruel y más sanguinario de la cristiandad —ha preguntado el guía.

He tenido un escalofrío.

—Lo que ahora os explicaré es uno de los episodios más sangrientos de la historia de Europa. Si hay personas impresionables o niños que no quieran escucharlo, les ruego que salgan. Los detalles son escabrosos y repugnantes. Por tanto, advierto que pueden provocar pesadillas.

Mi madre me ha hecho una mueca ordenándome que saliese de la sala, pero yo he fingido que no la veía y he continuado sentado. No me lo quiero perder por nada del mundo. Tormenta tampoco se ha movido ni un milímetro y el Melón, a escondidas, me ha cogido la mano. Se lo he agradecido porque en estos casos saber que hay otro más asustado que yo me da ánimos.

Algunos, al ver que la cosa se ponía chunga, han preferido salir por piernas. La señora de la Biodramina se ha levantado con su marido y al pasar junto a nosotros nos ha reprochado:

—Estas no son cosas para niños. Anda, fuera.

¿Por qué la gente mayor se puede permitir decir a los niños lo que tienen que hacer y lo que

no? Nos hemos hecho los sordos y hemos mirado hacia otro lado.

—Fíjate, como si oyeran llover —ha murmurado al salir.

No soporto a las señoras impertinentes.

Las puertas se han cerrado con un chirrido tras los miedosos. Entonces, el guía ha cerrado también las cortinas de la sala, ha encendido las velas de su palmatoria, que daban una luz amarilla y misteriosa y proyectaban la sombra de su cara contra las paredes, y ha comenzado su escalofriante explicación.

No se oía ni una mosca. La Terminator estaría muerta de envidia.

—Vlad Tepes, el espíritu de Vlad Tepes, hijo de Vlad Dracul, está aquí entre nosotros para escuchar su historia. La historia de muerte y destrucción de un héroe legendario.

Tormenta, el Melón y yo, muertos de miedo, nos hemos arrimado y hemos hecho piña.

EN EL SIGLO XV VALAQUIA ESTABA RODEADA DE ENEMIGOS: LOS HÚNGAROS, LOS MOLDAVOS, LOS SAJONES Y, SOBRE TODO, LOS TURCOS.

DISPARA.

¿CONTRA QUIÉN?

¡DA LO MISMO, TODOS SON ENEMIGOS!

EN EL AÑO 1431, EN SIGHISOARA, NACIÓ EL SEGUNDO HIJO DEL PRÍNCIPE DE VALAQUIA VLAD DRACUL II.

SEÑOR PRÍNCIPE, SEÑOR PRÍNCIPE, HABÉIS TENIDO UN HIJO.

UN MOMENTO, ¿NO VES QUE ESTOY TRABAJANDO?

VLAD DRACUL II LE PUSO DE NOMBRE VLAD, COMO ÉL.

MIRA QUÉ MONO, VLADI, VLADI.

¡SLAP!

OUCH

VLAD II ERA MIEMBRO DE LA ORDEN DRACUL, QUE ES LA ORDEN DEL DRAGÓN Y EL DIABLO.

ESTE NIÑO ES UN DEMONIO.

¡¡PUES CLARO, ES HIJO DEL DEMONIO!!

EL PEQUEÑO VLADI ERA HIJO DE DRACUL, O SEA DRÁCULA.

¡UUUUUH! SOY DRÁCULA.

¡¡¡EL DEMONIO!!! ¡¡AUXILIO!!

SU PADRE TRAICIONÓ A LOS CRISTIANOS Y PACTÓ CON LOS TURCOS OTOMANOS.

ABRID LAS PUERTAS, QUE SON AMIGOS MÍOS Y HAREMOS UNA FIESTA. JO, JO

Y COMO LOS TURCOS OTOMANOS NO SE FIABAN NADA, SE QUEDARON A VLADI DE REHÉN.

NOS QUEDAMOS AL PEQUEÑO DRÁCULA PARA QUE TE PORTES BIEN.

SÍ, SÍ, TODO VUESTRO, OS LO REGALO...

EN CONSTANTINOPLA, CON LOS TURCOS, VLADI DRÁCULA APRENDIÓ TODO TIPO DE TORTURAS.

HOY CORTAREMOS OREJAS. ANDA, COGE EL CUCHILLO.

LA TORTURA QUE MÁS LE GUSTÓ FUE EL EMPALAMIENTO.

¿QUÉ HACES, VLADI?

ESTOY EMPALANDO RATONES...

PRONTO LE LLAMARON VLAD TEPES, QUE QUIERE DECIR VLAD EL EMPALADOR.

¡CORRE, CORRE, QUE VIENE VLADI EL EMPALADOR!

¡UHH!

MIENTRAS ÉL ERA PRISIONERO DEL SULTÁN, LOS NOBLES BOYARDOS MATARON A SU PADRE.

TOMA, TRAIDOR, MÁS QUE TRAIDOR.

¡YA VERÉIS CUANDO MI HIJO VLAD TEPES EL EMPALADOR SE ENTERE!

VLAD TEPES ARMÓ UN EJÉRCITO GRACIAS AL SULTÁN PARA CONVERTIRSE EN PRÍNCIPE.

SEREMOS AMIGOS PARA SIEMPRE...

VLADI SE HA HECHO MAYOR.

SÍ, VLADI.

VLAD TEPES, SIN EMBARGO, DECLARÓ LA GUERRA A LOS TURCOS, LOS ECHÓ DE VALAQUIA Y LOS MANDÓ EMPALAR.

¿PERO NO ÉRAMOS AMIGOS?

OS LO CREÉIS TODO.

VLAD TEPES TAMBIÉN EMPALÓ A TODOS LOS NOBLES BOYARDOS.

VAYA, ES DIVERTIDO ESTO DE VENGARSE.

VLAD TEPES QUEMÓ LAS CIUDADES SAJONAS QUE NO LE ABRÍAN LAS PUERTAS.

¡FUEGO, FUEGO!

TOSTAREMOS EL PAN PARA DESAYUNAR.

DICEN QUE SU CRUELDAD ERA ENORME.

MAÑANA CORTARÉ NARICES, PASADO MAÑANA OREJAS Y EL OTRO CABEZAS.

HASTA QUE LE MATARON A TRAICIÓN.

¡¡MIRA, MIRA!! ¡POR ALLÁ! ¡TOMA!

¡TRAICIÓN!

CORTARON SU CABEZA Y LA CLAVARON EN UNA PICA EN CONSTANTINOPLA.

SI TE PORTAS MAL, VENDRÁ EL EMPALADOR Y TE LLEVARÁ.

O sea que Vlad Tepes empalaba a hombres, mujeres y niños. Empalaba a todo quisqui que le caía mal. Más de cien mil personas murieron empaladas mientras él gobernó Valaquia durante poco más de seis años. Ciudades enteras, ejércitos enteros, turcos, mercaderes, sacerdotes, boyardos...

¡Qué fuerte! Mucho más fuerte que la matanza de Texas que no me dejan ver mis padres.

En la fila de delante un señor se ha mareado y su mujer lo ha abanicado con la falda para darle aire y devolverle el color. No me extraña.

Tengo que mirar el mapa de Europa para ver por dónde pasa el Danubio y dónde está Turquía exactamente. He callado otra vez porque el guía tenía más cosas para contarnos.

—Vlad Tepes, sin embargo, no es un personaje oscuro y desconocido por los rumanos. Vlad Tepes es una leyenda que el dictador comunista Ceaucescu, que gobernó Rumanía entre 1965 y 1989, convirtió en héroe independentista. Ceaucescu hizo erigir estatuas de Vlad Tepes, le dedicó calles, financió libros y películas sobre él, y prohibió que los rumanos leyeran la novela de *Drácula* y que vieran las películas que se habían hecho sobre el famoso vampiro. Creía que era una ofensa para el personaje y un insulto para la historia de Rumanía.

CEAUCESCU

VLAD TEPES

Esta sí que es buena. ¿O sea que hacer famoso a Vlad Tepes y conseguir que lo conociera medio mundo era insultarle?

—Pero lo que Ceaucescu no pudo conseguir nunca es encontrar los restos de Vlad Tepes, porque su tumba, en el monasterio de Snagov, estaba vacía...

Todo el mundo ha callado. El silencio se podía cortar con un cuchillo.

—¿Dónde está el cuerpo de Vlad Tepes el Empalador? ¿Dónde está el descendiente del voivoda Vlad Dracul?

Todos hemos mirado a nuestro alrededor esperando verlo salir de cualquier rincón.

—Quizás en ninguna parte porque ha hecho un pacto con el diablo. Dracul no ha muerto.

Al Melón se le ha disparado una pierna de los nervios. Ha empezado a hacerle toc-toc-toc sola. Saber que tiene más miedo que yo me consuela. El guía ha puesto más ronca la voz y ha levantado el candelabro sobre su cabeza.

—Porque todavía vive y se alimenta de sangre.

Nos ha mirado a todos, escrutándonos, y ha susurrado, con voz de ultratumba:

—¡Y esta noche se levantará de su ataúd donde descansa en la cripta de este castillo y os visitará!

Se ha oído un grito. Lo juro. Alguien ha gritado de miedo.

—No os resistáis, es inútil, porque nadie puede escapar a la crueldad y al poder de ¡Vlad Draculea!

Y de pronto, ha apagado las velas de un soplo y nos ha dejado a oscuras mientras se oían unos aullidos de lobo horrorosos. El Melón casi me rompe los huesos de la mano de tan fuerte como me la cogía y Tormenta me ha tomado la otra mano disimuladamente. Estábamos los tres cagados de miedo. Pero no hemos llorado ni hemos chillado. Hemos ido acurrucándonos, acurrucándonos y encogiéndonos, sin atrevernos a respirar y sin saber qué nos esperaba.

Y otra vez ha pasado un soplo de aire frío que nos ha helado la sangre en las venas.

Y una risa espectral que hacía: **¡Jo, jo, jo!**

Y aquí ha sido cuando la gente ha enloquecido y ha empezado a gritar y a levantarse. El pánico se ha contagiado y en la sala se ha montado un follón terrible. La gente se empujaba para salir y con la histeria arrastraba las sillas y pateaba a los que se le ponían por delante.

Finalmente, se han abierto las puertas de par en par, se han encendido las luces y se ha iluminado la escena de la huida, que parecía una película de terror. Y nosotros tres, clavados, mudos, y cogidos de las manos, hemos visto con nuestros propios ojos cómo el primero en salir disparado de la sala, con la cara desencajada y gritando como un cerdo cuando lo llevan al matadero, era el Yoyo.

14. Los damnificados del terror

La familia Bel se ha enfadado (Tormenta no cuenta). El padre Bel ha dicho que la sesión de miedo había sido excesiva y que no salía en el programa que les había dado la agencia; que ellos habían comprado un viaje para hacer la ruta del Conde Drácula, no para visitar el Hotel Kruger, que para eso ya iban al Tibidabo, que estaba más cerca y era más barato.

La señora Bel ha dicho que se han pasado siete pueblos con los efectos especiales de los lobos, las luces y los vendavales de aire frío. Y ha soltado el rollo, a todo el que se ha dejado, de que su hijo Borja, que es muy sensible y muy impresionable, ha sufrido un ataque de pánico y que lo han tenido que llevar al médico del hotel para que le recetara un tranquilizante.

Mis padres y los del Melón han aguantado el chaparrón de los Bel con cara de resignación. No estaban enfadados. Yo creo que se lo han pasado bien, que se han cogido de la mano como nosotros, que han soltado algún grito que otro, y que incluso se han abrazado como cuando eran novios. Asustarse un poco es muy bueno para la salud.

Tormenta ha comentado que había sido muy guay y el Melón ha dicho que ahora sí que se atreverá a subir al Huracán Cóndor, y que después de la sesión de hoy ha quedado inmunizado contra el miedo. Ya nunca más tendrá miedo porque es como si le hubieran puesto una vacuna.

Esto me ha gustado. Les explicaré a mi padres que me he vacunado contra el miedo y así tendrán que dejarme ver todas las películas que me tienen prohibidas, como *La matanza de Texas, Saw 6* y *Rec*. Pero antes le he preguntado a papá si me podía dibujar el mapa de Europa con el Danubio, los Cárpatos, Turquía, Hungría, Moldavia, Valaquia y Transilvania. Y Alemania de paso. Se ha puesto rojo como un tomate y ha tosido diciendo que no tenía boli ni papel. Pero cuando la madre del Melón le ha dado un bolígrafo y ha arrancado una hoja de una agenda, papá ha empezado a sudar tinta.

—Lo sé, ¿eh?, pero ahora, así de pronto, no me acabo de situar. Veamos, Turquía está al este y...

Mamá ha visto que lo estaba pasando fatal y le ha echado un cable sacando la guía y poniendo el

mapa sobre la mesa. A mi padre se le han iluminado
los ojos.

—¿Lo ves? Es tal como te decía.

Y una vez que mi padre me ha dado un baño

de geografía, mi madre me ha explicado, encanta-
da de la vida, la historia de las Cruzadas de los cristianos hacia Jerusalén, la caída de Constantinopla
y el imperio turco u otomano que duró hasta la
Primera Guerra Mundial

—*Empo* —me ha dicho el Melón, flojito, tan
sorprendido como mis padres de mi interés por la
geografía y la historia.

¿*Empo,* yo? El Melón se ha vengado porque
siempre le llamaban *empo* a él. Me la suda que

el Melón me diga *empo*. Ahora sé dónde están el Danubio y los Cárpatos y quiénes eran los turcos otomanos y los valacos.

Y pensándolo bien, si he sacado nueve sobresalientes debo de ser un poco *empo*.

A la hora de cenar, en el comedor se ha montado un buen sarao. Al señor del Barça que odia a los niños y los perros le han pisado un callo y ha fundado una comisión de afectados por la sesión terrorífica. Ha ido pasando de mesa en mesa para buscar personas heridas o damnificadas que se quisieran añadir a la comisión y ha encontrado a cuatro.

DAMNIFICADO I

DAMNIFICADA 2

HOMBRE QUE HA PERDIDO EL ANILLO DE CASADO

¡LO HAS HECHO ADREDE!

CHICA CON EL VESTIDO ROTO

DAMNIFICADA 3

DAMNIFICADO 4

ADOLESCENTE
CON ARAÑAZO
EN LA MEJILLA
IZQUIERDA.

SEÑORA CON
LAS GAFAS
ROTAS.

MOLA Y ME
HARÉ UN TATU
CUANDO SEA
MAYOR.

La madre Bel ha apuntado al Yoyo en la lista, pero el padre Bel no ha querido y lo ha borrado. Le da vergüenza reconocer que el Yoyo se ha puesto histérico por una tontería de nada. Esto es lo que opinaba el Chico de la Leche. Decía que el espectáculo había sido penoso y que no entendía cómo la gente se puede creer estas tonterías y contagiarse de una crisis de pánico colectivo. También decía que ha quedado muy decepcionado de los españoles porque él creía que en España la gente era más crítica y más sensata. Que una reacción tan infantil se la podía imaginar de los ingleses o los polacos, que son más ingenuos y más impresio-

nables. Ha terminado diciendo que los españoles cada vez se dejan influenciar más por los peores defectos de los europeos y que eso los chinos no lo habrían hecho jamás porque tienen dignidad.

A mi padre le ha hecho gracia el discurso del Chico de la Leche —que lo sabe todo— y le ha dado conversación sobre China.

El Chico de la Leche me cae fatal. Es de esa gente que habla y habla porque le gusta escucharse, pero no responde a quienes le preguntan algo, porque cuando mi madre le ha preguntado si era psicólogo, no le ha contestado.

El Yoyo ha bajado a cenar como si nada hubiera pasado. Ha llegado feliz, descansado y dispuesto a delinquir conmigo delante de todos. Nada más llegar me ha ordenado que le hiciera una foto en la mesa —con todas las familias— para tenerla de recuerdo. Me ha dado la cámara robada (que ahora figura que es suya) y me ha hecho hacerle una docena de fotos. Se las ha mirado, ha borrado once y me ha obligado a repetir cuatro. Me he fijado en que el Chico de la Leche arrugaba la nariz, me vigilaba y no me quitaba los ojos de encima mientras hacía las fotos.

La cena consistía en pollo y verdura. El Yoyo me ha dicho con todo el morro que él se comería mi pollo. El pollo era rojo porque estaba cocinado con paprika y hacía bonito en medio del verde. Él me ha vaciado su verdura en mi plato y yo he tenido que poner mi pollo en el suyo.

—¿Qué haces, Víctor? ¿No quieres el pollo? —ha preguntado mi madre, que siempre está a la que salta.

MI PLATO DEPRIMENTE

PLATO ALEGRE DEL YOYO

—No le gusta, me ha pedido cambiarlo —ha contestado el Yoyo con la boca llena de pollo.

Pensar en el pollo se me hacía la boca agua y mirar mi plato de color verde me deprimía.

Tormenta, que no come mucho y que juraría que sufre comiendo, me ha dado un trozo de su pollo. Se me han iluminado los ojos y he ido a clavarle el tenedor cuando, de repente, he chocado con otro tenedor mucho más rápido que el mío y mi pollo ha volado hacia el plato del Yoyo.

—Gracias, Víctor, eres muy amable por darme más pollo —ha dicho contento y encantado de haberse conocido.

Me he rayado mucho. Me han entrado ganas de clavarle mi tenedor ahí mismo y empalarlo como hacía Vlad Tepes con sus enemigos.

Una vez se ha zampado todo MI POLLO, el Yoyo ha soltado un eructo muy sonoro y ha preguntado qué había de postre.

—Flan, cariño, hay flan. Veo que ya vuelves a tener hambre —ha dicho la madre Bel contentísima de la milagrosa recuperación de su hijo.

—¡Flan! ¡Me encanta el flan! En cambio a ti no te gusta nada el flan, ¿verdad, Víctor?

Me he resistido y me he negado a darle el flan. Tenía mucha, mucha hambre. Así pues, he cogido la cuchara, me he arrimado a mi plato de flan y, cuando estaba a punto de co-mérmelo, el Yoyo se ha disparado peligrosamente.

—¡Qué fuerte! ¡Qué fuer-te! —ha levantado la voz para que lo oyeran todos—. ¿A qué no sabéis lo que le ha explicado esta tarde Víctor a Ramón? —lo ha dicho mirando a mis padres, pero enseguida me ha mirado a mí sabiendo que tenía la sartén por el mango.

Rápidamente, en cuestión de segundos —seguro que he batido algún récord—, he hecho un trasvase de flan y ha ido a parar al plato del Yoyo.

Al verlo, ha continuado:

—Víctor decía que le daba miedo el Dragon Khan.

Mis padres que se habían quedado con las cucharas levantadas, a medio camino hacia la boca, expectantes por el tono misterioso del Yoyo, no han entendido nada y han disimulado.

MI PLATO
VACÍO
DE POSTRES

PLATO
DEL YOYO
CON DOS
FLANES

—Pues qué bien.

—Sí, muy bien, y muy bueno el flan, sí, señor —ha contestado el odioso Yoyo.

Tormenta me ha puesto su flan en mi plato y esta vez me ha protegido la retirada. Ha atacado directamente a su hermano allí donde más le duele.

—Te hemos oído gritar de miedo. Eres un cagado.

He aprovechado para tragarme el flan sin respirar mientras el Yoyo se ponía como una moto e intentaba estrangular a Tormenta. Afortunadamente, los padres del Melón, que son gente de orden y no soportan la mentira, lo han puesto en su sitio.

—El testimonio de tu hermana es correcto —ha dicho el padre del Melón sacando las manos del Yoyo del cuello de Tormenta—. Has salido gritando de la sala y has sufrido un ataque de nervios.

—Y antes has chillado —ha aseverado la guardia civil—. Te he reconocido la voz.

El Yoyo se ha puesto amarillo y violeta de rabia, se ha girado hacia mí y me ha dicho flojito:

—Me las pagarás.

Esta es mi pesadilla.

No me da miedo Drácula.

No me da miedo Vlad Tepes.

No me dan miedo los vampiros.

Me da miedo el Yoyo.

Y de repente he tenido una idea.

15. La visita de Drácula

Tormenta me ha abierto la puerta de su habitación a oscuras y a punto he estado de tropezar con la tele del Melón, que se había quedado tirada ahí en medio.

—¿Está dormido? —le he preguntado muy flojito.

Pero al abrir la boca se me han caído los dientes al suelo. Se me ha encogido el corazón porque han hecho un ruido de mil demonios: clinc-clonc-clinc. Exactamente, el tipo de ruido que despierta. Tormenta y yo nos hemos quedado helados y hemos esperado unos segundos para ver si el Yoyo se despertaba. Pero no. Seguía bien sobado. Tormenta, con la luz de su linterna, me ha ayudado a ponerme los colmillos que se me habían caído y me ha rociado con un bote de tomate frito.

No he dicho nada más para que no se me volvieran a caer los colmi-

157

llos, pero a Tormenta se le ha ido la mano con el tomate y se ha pasado un montón. Estoy ensangrentado por todas partes, o sea entomatado. En lugar de miedo daré risa.

—¿Ya? ¿Estás preparado? —me ha preguntado Tormenta.

He negado con la cabeza.

—¿Por qué no?

Entonces me he quitado los dientes y he dicho:

—No puedo hablar. ¿Cómo lo voy a hacer?

Tormenta, ha abierto la puerta y ha hecho entrar al Melón, que se había quedado vigilando el pasillo.

El Melón también ha tropezado con el televisor y se ha creído que ya habíamos terminado.

—Hablarás tú desde detrás de las cortinas —ha ordenado Tormenta.

Yo no sabía que fuera tan mandona, pero me parece que es un gen de niña y que no tiene remedio. Todas las niñas que conozco son unas tiranas.

Tormenta nos ha dicho: a la una, a las dos y a las tres.

Y una vez dicho esto, se ha metido en su cama simulando que dormía. Yo he conectado la linterna desde abajo, enfocándome sólo los colmillos y la sangre y la capa y toda la parafernalia. Me he agachado sobre el Yoyo dormido y, cuando fingía que le chupaba la sangre y que estaba a punto de pincharlo con el tenedor de dos púas que llevaba en la mano, ha abierto los ojos y se me ha quedado mirando con la cara desencajada. Ha gemido flojito, como un ratoncillo delante de un gato. Reconozco que yo daba miedo. Sólo ha faltado que el Melón hablara con voz de ultratumba detrás de mí.

El Melón ha utilizado una voz espectral, pero no le ha puesto nada de imaginación al texto.

A pesar de todo ha surtido efecto.

—¡Noo, por favor, nooo! —ha suplicado el Yoyo—. ¡Piedad!

—Los vampiros no tenemos piedad —ha contestado el Melón detrás de mí, improvisando y mejorando bastante la réplica.

—Haré todo lo que quieras, todo lo que me digas —ha gritado el Yoyo.

Yo he levantado las manos teatralmente, como rechazando su oferta, pero el Melón, detrás de mí, se ha animado.

—Está bien, pactemos.

Pero... ¿es idiota o se entrena? ¿Desde cuándo los vampiros pactan con sus víctimas?

—¡Dime qué quieres que haga y lo haré! —ha dicho el Yoyo.

Y el Melón se ha lanzado:

—No quiero que molestes más a Víctor.

—No lo haré, lo juro, no lo haré.

—Tampoco quiero que vuelvas a levantar la mano ni a decir «Yo, yo».

—Seré mudo, estaré callado, no levantaré la mano nunca más.

He flipado con el Melón. No sabía que fuera un negociador tan bueno, pero entonces me ha dejado planchado.

—Te morderé un poco de todas formas.

Y se ha agachado como si fuera él, y no yo, quien tuviera que morder a la víctima, y me ha cogido desprevenido. Sin poder remediarlo, he perdido el equilibrio, me he caído encima del Yoyo y lo peor: ¡el tenedor que llevaba en las manos se ha clavado sin querer en el cuello del Yoyo!

No ha sido un acto terrorista. Sólo un accidente. **Lo juro.** Lo he dibujado para que se entienda.

Y el Yoyo se ha quedado tieso, callado y con los ojos abiertos.

—¡Enciende la luz! —he gritado sacándome los colmillos.

Tormenta ha dado la luz y hemos podido ver al Yoyo con dos puntitos de sangre en el cuello y los ojos desorbitados. El tenedor le ha dejado unas buenas marcas.

—¡Lo has matado, tío! —ha exclamado el Melón horrorizado.

Yo no había visto nunca un muerto y me ha dado muy mal rollo.

—Ha sido culpa tuya —me he defendido—. Te me has echado encima y el tenedor se me ha clavado sin querer.

—Habíamos quedado que lo morderíamos, ¿no?

—Pero ya no era necesario. Habíais pactado.

El Melón estaba más nervioso que yo.

—Era para sellar el pacto. Sin mordisco no valía, no se lo habría tomado en serio.

Tormenta nos ha separado después de tomarle el pulso.

—¡No está muerto!

Nos hemos quitado un peso de encima y nos hemos quedado mirando al Yoyo. Quizá no estaba muerto, pero tampoco hacía muy buena cara. Hemos intentado cerrarle los ojos, pero se le volvían a abrir solos.

—¿Qué hacemos? —he preguntado.

—Puedo avisar a mis padres —ha dicho el Melón rápidamente, acostumbrado a tener la policía en casa.

Me he enfadado con él.

—¿Quieres que me detengan por intento de homicidio?

Tormenta ha leído más novelas policíacas.

—Primero tenemos que limpiar las pruebas del delito y hacerlas desaparecer.

—¿Qué pruebas?

—Tú y el tenedor —han dicho el Melón y Tormenta.

Tenían razón, éramos las pruebas más evidentes. Me he quitado la ropa de Drácula muy rápido,

163

me he lavado el tomate frito y he escondido el tenedor en la mesilla de noche de Tormenta. Luego, hemos discutido cómo despertar al Yoyo y ha ganado la propuesta de Tormenta. Hemos llenado una jarra de agua fría y se la hemos lanzado a la cara.

El Yoyo ha parpadeado, nos ha mirado como si fuéramos alienígenas y ha soltado un gemido.

—¿Y Drácula? —ha preguntado moviendo la cabeza hacia todas partes, asustado.

—Ha huido —ha contestado el Melón.

—¿Estoy muerto? —ha susurrado el Yoyo.

—Estabas a punto de morir, pero te hemos salvado —ha soltado Tormenta con todo el morro.

El Yoyo se ha tragado las palabras de su hermana y las ha digerido.

—¿Por qué me habéis salvado?

Y entonces yo, Víctor, que no había podido actuar antes porque el Melón me había robado el papel de Drácula, he dicho:

—Porque somos tus amigos.

Ha quedado muy bien. Parecía de verdad y todo. Los tres nos hemos emocionado y el Yoyo más que nosotros. Ha sido tan emocionante que lo he dibujado.

Ha sido la noche más emocionante del viaje.

Lo juro.

16. La pandilla de los vampiros

El Yoyo ha estado calladito, sin decir ni una sola palabra, mientras visitábamos la ciudad de Sighisoara y la casa donde nació Vlad Tepes Draculea.

Cuando el guía ha preguntado qué significaba «Dracul», el Yoyo no ha levantado la mano y se ha hecho un silencio muy grande hasta que el Melón, muy flojito, ha dicho que quería decir *dragón* y *demonio*.

Cuando el guía nos ha preguntado si alguien recordaba en qué año nació Vlad Tepes, el Yoyo no ha levantado la mano y, puesto que nadie decía nada y todos miraban al Yoyo, algo nerviosos, Tormenta ha contestado: en 1437.

Cuando el guía nos ha preguntado de dónde venía la palabra *Rumanía* no me he podido reprimir y he contestado:

—¡De Roma!

El autocar entero me ha mirado y me ha dado mucha vergüenza, pero he descubierto que a mi padre le brillaban

DACIO

DECÉBALO

los ojos y que a mi madre estaba a punto de caerle una lagrimita.

Mis padres han alucinado. Es la primera vez que contesto algo.

Como lo he adivinado por pura potra,he escuchado para no equivocarme y también por si acaso el guía volvía a preguntar algo. Me he enterado de que Rumanía es el único país del Este que conserva la lengua de los romanos, o sea el latín, y que si escuchamos a los rumanos cuando hablan no es tan difícil entenderlos. Es una lengua como el castellano, el catalán, el gallego, el francés o el italiano.

En el museo de Sighisoara, en lo alto de una torre muy alta, mareante y con muchas salitas, el guía nos ha dicho que quienes habitaban estas tierras antes de que llegaran los romanos eran los dacios, que era un pueblo muy salvaje que tenía un caudillo muy valiente llamado Decébalo. En tiempos del emperador Trajano los romanos se mosquearon con los dacios porque eran un incordio para Roma y organizaron una campaña para darles una lección. Trajeron muchas legiones, se los cargaron a todos, hicieron prisionero a Decébalo y el pobre no tuvo más remedio que suicidarse. Parece ser que Decébalo es casi tan famoso como Vlad Tepes y todos los niños rumanos lo conocen.

—Como Indíbil y Mandonio —ha dicho mamá.

El Melón, el Yoyo y yo no los conocíamos. Tormenta sí, y nos ha explicado que eran dos salvajes de la tribu de los ilergetes —o sea los leridanos— que lucharon contra los romanos. Yo ya sabía que los leridanos eran muy bestias, como Puyol del Barça, pero no sabía que hubieran vencido a los romanos como los galos de Astérix y Obélix.

La historia de Indíbil y Mandonio me ha inspirado y he hecho un cómic muy guay.

—¡Está tan cambiado Borja! —ha dicho la madre Bel treinta mil veces durante la mañana—. ¿Te encuentras bien, cariño? —preguntaba cada vez que miraba al Yoyo.

Y se ha rayado tanto que el padre Bel le ha hecho una revisión médica rapidita y ha descubierto los dos agujeritos del cuello.

—¿Qué tienes aquí?

La madre Bel, que no sabe decir las cosas flojito, ha berreado:

—¡Parece un mordisco!

Enseguida se ha formado un corro de curiosos alrededor del Yoyo. Todo el mundo decía la suya, hasta que el Chico de la Leche, sabelotodo, ha soltado que era una marca de vampiro.

El Yoyo se ha puesto blanco y se ha mareado. La madre Bel se ha asustado y nosotros hemos intentado rescatarlo.

170

—Se clavó un tenedor —ha gritado Tormenta
cogiéndolo de la mano.

Nos lo hemos llevado lejos de los pasajeros
y le hemos jurado que no dejaríamos que nadie
pusiera los ojos encima de su cuello nunca más.

Demasiado tarde. Cuando hemos subido al
autocar nos hemos dado cuenta de que la gente se
sentaba tan lejos como podía del Yoyo, cuchichea-
ban señalándolo y llevaban crucifijos colgando del
cuello y cabezas de ajos en los bolsillos.

—¿Dónde los habéis comprado? —se iban preguntando unos a otros.

Hemos hecho piña en torno al Yoyo con disimulo. Yo he continuado leyendo el libro de *Drácula* porque estaba emocionante. Tormenta ha empezado otro libro, el Melón se ha sobado y el Yoyo se ha entretenido haciendo fotos de ovejas rumanas por la ventana.

Y durante todo el rato el Chico de la Leche no nos ha quitado el ojo de encima.

Cuando el autocar se ha detenido para que pudiéramos hacer pipí en un bar de carretera muy

cutre, nos hemos apeado y hemos dicho al Yoyo que iríamos a mear con él y que no sufriera, que nadie le pondría la mano encima. Pero el Chico de la Leche se ha plantado ante nosotros y le ha arrancado la cámara al Yoyo de las manos.

—¿A ver esta cámara?

Un corro de curiosos se ha acercado allí justo a tiempo de oír cómo el Chico de la Leche —que lo sabe todo—gritaba:

—¡El vampiro me ha chorizado la cámara!

Mi madre, agobiada porque la culpa es suya, iba a defender al pobre Yoyo, pero yo he sido más rápido, he dado un paso adelante y he dicho bien fuerte y bien alto:

—No es verdad. Él no ha sido. Me la encontré yo en la iglesia luterana y la cogí pensando que era la de mi madre, porque son iguales. Pero resulta que me equivoqué.

El Yoyo me ha mirado. El Chico de la Leche me ha mirado. Mi madre me ha mirado más que los otros dos, ha cogido la cámara y se la ha ofrecido al Chico de la Leche.

—¿Así pues es tuya? ¡Qué bien! No sabes el peso que nos has quitado de encima. Ha sido una confusión. Disculpa.

Los padres del Melón han hecho su aparición estelar. Sólo les faltaban las gorras y las pistolas.

—¿Algún problema?

El Chico de la Leche, que se había puesto chulo, se ha amedrentado.

—Sólo ha sido una confusión —ha comentado.

Y yo me he convertido en el héroe del Yoyo y de mi madre.

Mamá se me ha llevado a un rincón, me ha besuqueado y me ha susurrado al oído:

—Gracias, Víctor.

Y el Yoyo también se ha sentado a mi lado con la cabeza gacha y me ha dicho flojito:

—Gracias, Víctor.

No me gusta que me den las gracias, pero eso de ser valiente no está nada mal. El Chico de la Leche me podría haber machacado, pero no me ha dado miedo. Quizá sí que me he vacunado, como dice el Melón, y nunca más volveré a ser un cagueta. Aunque me huelo que los demás pasajeros están maquinando algo contra el Yoyo.

En el hotel de Sibiu he oído a una señora diciéndole al guía que los pasajeros habían acordado que los niños durmiésemos en otra planta porque éramos muy molestos. Y a la hora de cenar nos hemos dado cuenta de que todas las mesas se habían movido y estaban más lejos que nunca de la nuestra. Los otros pasajeros hablaban en susurros, observándonos, y en el centro de todas las mesas había un puñado de ajos en vez de un ramo de flo-res.

Para distraer a nuestros padres y despistarlos un poco hemos empezado a explicarles la novela de *Drácula* entre Tormenta y yo. Mis padres han flipado de que hubiera leído tantas páginas y de que me acor-

dara tan bien. Luego, el Melón ha hablado de las torturas que hacían los romanos a los dacios. Se lo sabía porque había leído un folleto del museo de historia de Sighisoara.

Y al final, el Yoyo, muy flojito, ha dicho que quería ser pastelero.

Lo juro.

Ha sido de repente y nos ha dejado plan-chados.

Los padres del Yoyo se han traumatizado y se han quedado mudos. Hasta que la señora Bel ha empezado a quejarse de jaqueca y su marido la ha acompañado a la habitación.

Los padres del Melón y los míos se han puesto a discutir sobre las cosas que podían decidir los niños y las que no, y sobre si los niños teníamos criterio para decidir qué carrera queríamos estudiar o no. El Melón y yo hemos aprovechado el follón para pedir permiso para dormir en la habitación de los hermanos Bel, porque nos hemos hecho muy amigos y no nos queremos separar. Mis padres han dicho que sí y los padres del Melón han dicho que no.

El Melón ha pasado de sus padres y ha venido a hurtadillas a la habitación con el pijama puesto en el momento más inoportuno. Ha interrumpido la confesión del Yoyo que nos contaba, a Tormenta y a mí, que desde pequeño soñaba con hacer pasteles de chocolate y que su sueño era hacer un pastel gigante de más de dos metros con todo el equipo de waterpolo del Barça dentro de una piscina.

SUEÑO DEL YOYO

El Yoyo, que estaba lanzado, también ha dicho que odiaba el chino y que no quería tocar el piano nunca más y que ahora que no levantaba la mano ni decía ¡yo, yo! vivía más relajado.

El Yoyo parecía una persona humana, con traumas, problemas y líos como los que tenemos Tormenta, el Melón y yo.

Tormenta ha dicho que tal vez sí, que tal vez el Yoyo y ella fueran hermanos, pero que posiblemente en la clínica les habían confundido los padres.

El Yoyo ha dicho que estaba muy orgulloso de tener una hermana como ella, tan lista y tan cañera, y que no le importaba que fuera bajita.

Tormenta le ha dicho que le perdonaba por haber ocupado todo el sitio dentro de la barriga de su madre verdadera y por haberle pegado tantas patadas cuando eran fetos. Porque ella tiene mucha memoria y no se olvida y que por eso quizá siempre le ha tenido un poco de rabia, por los patadones de cuando eran fetos gemelos.

Parecía la telenovela del mediodía, pero de

verdad. El Melón y yo flipábamos porque no tenemos hermanos gemelos y nos resulta curioso eso de que los hermanos mellizos se odien tanto y se quieran tanto.

Entonces, Tormenta ha hecho algo increíble. Ha dicho al Yoyo:

—Si tú eres un vampiro, yo también.

Se ha levantado, ha cogido el tenedor de dos puntas que tenía escondido en su mesilla y, iñaca!, se ha pinchado el cuello sola.

Es muy valiente.

Es más valiente que el Melón y yo, que no hemos tenido narices para clavarnos el tenedor solitos y hemos cerrado los ojos y hemos llorado un poco cuando Tormenta nos lo clavaba.

Ahora los cuatro somos vampiros y, si quieren hacer daño al Yoyo, se las tendrán que ver con toda la panda.

Después hemos montado una barricada en la puerta de la habitación por si acaso los pasajeros de los autocares se organizaban para clavar una estaca en el corazón del Yoyo y cortarle la cabeza como se hace con los vampiros.

Nos hemos dormido muy tarde porque el Melón nos quería contar un chiste y no se acordaba del final.

Hoy ha sido el segundo día más emocionante del viaje. **Lo juro.**

No quiero que se acabe nunca.

17. La sorpresa final

Una semana es muy corta y se acaba enseguida. O a lo mejor es que cuando las cosas son divertidas el tiempo pasa más deprisa.

Yo he aprovechado todos los ratos del autocar para terminar de leerme la novela de *Drácula*. No sabía que fuera tan interesante ni que pasaran tantas aventuras.

EL CONDE DRÁCULA VIAJA HASTA INGLATERRA EN UN BARCO DENTRO DE UN ATAÚD Y POR EL CAMINO SE ALIMENTA DE LA SANGRE DE LOS MARINEROS.

CUANDO EL BARCO ATRACA EN EL PUERTO DE WHITBY SE HA CONVERTIDO EN UN BARCO FANTASMA LLENO DE MUERTOS.

HUMM, LA SANGRE FRANCESA ES MAS DULCE QUE LA RUSA.

LOS MARINEROS DE AHORA NO DURAN NADA, LOS DE ANTES AGUANTABAN DOS TRAVESÍAS.

LA CASUALIDAD ES QUE EN ESE PUEBLO ESTÁ VERANEANDO MINA, LA NOVIA DE JONATHAN HARKER, EN CASA DE SU AMIGA LUCY.

SUERTE QUE JONATHAN NO ME HIZO CASO Y NO COGIÓ EL PRIMER BARCO QUE VENÍA HACIA ACÁ.

LUCY ES MUY GUAPA, TIENE MUCHOS PRETENDIENTES Y AL FINAL DECIDE CASARSE CON LORD GODALMING.

PITO, PITO, COLORITO...

PERO LUCY, DE PRONTO, COMIENZA A SENTIRSE ENFERMA, A PALIDECER Y A PADECER INSOMNIO POR LAS NOCHES.

ESTO DE CASARSE NO SIENTA NADA BIEN.

Y ES QUE RESULTA QUE EL CONDE DRÁCULA LE ESTÁ CHUPANDO LA SANGRE SIN QUE NADIE LO SEPA.

NICE TO MEET YOU.

LUCY MUERE Y DESPUÉS DE ENTERRARLA COMIENZAN A SUCEDER COSAS EXTRAÑAS.

DESCUBREN QUE LUCY SALE DE SU TUMBA POR LAS NOCHES A BUSCAR NIÑOS Y CHUPARLES LA SANGRE.

SU PROMETIDO Y UNOS AMIGOS DECIDEN SALVARLA DE SU DESTINO COMO VAMPIRA. LE CLAVAN UNA ESTACA EN EL CORAZÓN, LE CORTAN LA CABEZA Y LE LLENAN LA BOCA DE AJOS.

ES POR TU BIEN, BONITA. NO HACE DAÑO, QUE YA ESTÁS MUERTA.

LLEGA MUY ENFERMO A UN MONASTERIO DESDE DONDE LE ENVÍAN A UN HOSPITAL DE BUDAPEST. ALLÁ AVISAN A SU NOVIA MINA QUE VIAJA HASTA BUDAPEST Y SE CASAN.

MIENTRAS TANTO, EL POBRE JONATHAN HARKER, QUE HABÍA QUEDADO PRISIONERO Y UN POCO VAMPIRIZADO EN EL CASTILLO DEL CONDE, CONSIGUE HUIR DE LAS TRES VAMPIRAS.

VUELVE, VUELVE, NO HEMOS ACABADO.

ME ACABO DE ACORDAR DE QUE TENGO QUE COMPRAR MANZANAS.

PERO CUANDO REGRESAN A LONDRES EL CONDE DRÁCULA YA HACE TIEMPO QUE ESTÁ HACIENDO DE LAS SUYAS Y VAMPIRIZANDO A LOS INGLESES.

SE TIENE QUE RECONOCER QUE EL CONDE DRÁCULA ES UN HOMBRE MUY CONVINCENTE Y TRABAJADOR.

ASÍ YA NO HACE FALTA QUE BUSQUEMOS UN HOTEL PARA ESTA NOCHE.

Y no cuento más porque, si las novelas se cuentan, no se leen, y si alguien quiere saber cómo acaba, se la tendrá que leer entera desde el principio, tal como he hecho yo y como está haciendo el Melón ahora mismo.

La verdad es que el Melón está muy cambiado. Saltó los últimos seis escalones del castillo de Poniatori y no se metió una piña. Yo salté cinco, Tormenta cuatro, el Yoyo tres y el Melón seis, y nos dejó a todos planchados. Tormenta dijo que el Melón estaba mutando y que pronto se convertiría en un buen saltador y podría saltar el plinto, los charcos y los escalones que quisiera. Que a veces estas cosas pasan y los genes cambian por culpa de la contaminación.

El Melón cree que le están mutando los genes gracias a los plátanos y el potasio, y está encantado con la nueva mutación porque quizás así sus padres lo aceptarán como hijo.

EL MELÓN MUTANDO A SALTADOR

ESFUERZO SUPREMO

EL MUTANTE SALTADOR

No es el único que ha cambiado. El Yoyo ya no nos da miedo. El Yoyo se ha vuelto buena persona, nos hace caso y obedece las órdenes que le damos

Tormenta y yo. Tormenta se apostó el plátano del último *picnic* diciendo que el Yoyo era capaz de subirse a un ciprés en menos de dos minutos. Ganó ella y tuvimos que llamar a los bomberos porque no podía bajar del ciprés. Yo gané un flan de la cena porque aposté que el Yoyo aguantaría una hora de ducha fría. Se quedó hecho un polo pero el tío aguantó. Es una caña el Yoyo. Ha entendido que nosotros tenemos muchas ideas y que él tiene muchos músculos y mucha voluntad.

El Melón (que se ha cambiado de autocar y viaja con nosotros), Tormenta, el Yoyo y yo nos hemos hecho muy amigos y viajamos en el asiento trasero sin que nadie nos moleste ni nos diga que los niños no pueden beber leche, que deben tomar Biodramina y que no pueden escuchar historias de miedo. Nos dejan tranquilos y nos tienen respeto. Los vampiros les dan yuyu.

Nuestros padres también se han hecho muy amigos y se sientan delante del autocar junto al guía, que resulta que, por casualidad, ha estado en China y es aficionado a los karaokes. Mi padre ha sido muy feliz cantando canciones de Nino Bravo a gritos con el micrófono del guía, aunque algunos pasajeros, de esos que se quejan siempre, se han quejado de que les da dolor de cabeza. No afina mucho pero le pone mucha pasión, como dice mamá. Mamá hace fotos todo el día y se deja la cámara en todas partes.

Cada vez que la he ayudado a rescatarla, he notado que me tiene más respeto porque yo no me dejo nada en ninguna parte y ella sí.

SITIOS DONDE MI MADRE SE HA OLVIDADO LA CÁMARA

COLGANDO DE UNA CORONA

COLGANDO DE UN CRUCIFIJO

COLGANDO DE UN RETRATO DE CEAUCESCU

COLGANDO DE LA PUERTA DEL VÁTER DE UNA GASOLINERA

Y hoy, que es el último día de todos, antes de tomar el avión de regreso hacia España, el guía nos ha llevado a una «taberna draculiana» que hay en Bucarest para celebrar el final del viaje y nos ha prometido que habría baile, vino y sorpresas.

Hemos comido una cena típica rumana, nuestros padres han bebido vino típico rumano y cuando la orquesta ha empezado a tocar canciones típicas rumanas los seis han salido a bailar como locos.

A los padres no les da vergüenza hacer el ridículo. A nosotros, los niños, sí. Son patéticos.

Cuando nuestros padres han vuelto a sentarse con las mejillas rojas y sedientos, han bebido más vino rumano y se han puesto a contar historias de cuando eran pequeños. No sé si no nos han visto

o no sabían que les estábamos escuchando. El padre Bel ha empezado diciendo que él suspendió el segundo de BUP, aunque engañó a sus padres falsificando las notas de un amigo. Mi padre se ha añadido y ha reconocido que hizo tres veces primero de Ingenieros Técnicos porque no le salía el dibujo técnico y estaba a matar con el profesor. La madre del Melón ha confesado que una vez engañó a la profesora de Educación Física haciéndole creer que se había roto una pierna para que no la examinara de saltar el plinto. El padre del Melón, meándose de la risa, recordó que en la academia de policías copió un trabajo sobre balística en el Rincón del Vago y que le pusieron un diez. Y mi madre, que ya no daba pie con bola, ha explicado que la pillaron copiando en un examen de geografía con una chuleta cosida a las bragas. Pero la mejor de todas ha sido la madre Bel, que se había bebido tres vasos de licor rumano para pasarse la migraña. Ha dicho que ella quería ser cantante de cabaré y, como que sus padres no la dejaron, decidió hacerse **podóloga** para arrodillarse delante de sus pacientes y avergonzar a su familia. Al acabar la carrera se hizo imprimir unas tarjetas con la silueta de un pie y sus padres se traumatizaron.

Nosotros sí que nos hemos traumatizado al oírlos. Debería prohibirse que los padres explicaran esas cosas.

¿O sea que esa era la sorpresa?

Pero no lo era.

La sorpresa ha sido mucho más **brutal.** Ha sido de esas sorpresas que sólo pasan en los libros. Como en el libro de *Drácula,* que está lleno

LA GRAN SORPRESA

de casualidades que no
son nada casuales.

Era la Terminator.
Lo juro.

Y la ha liado. La Terminator ha venido a la mesa de nuestros padres, los ha saludado y todos han comentado que qué casualidad encontrarse allí y todas las cosas que se dicen cuando uno se encuentra en Rumanía con la profesora del hijo.

Yo cruzaba los dedos para que no hablaran de nada más y fueran discretos. Pero la Terminator no es nada discreta y les ha dicho que qué pena que yo fuera un desastre de niño.

¡No, no!, he gritado en silencio. ¿Por qué un viaje tan bonito se estropea de esta manera tan horrorosa?

Pero, en esas, ha pasado algo increíble. Mis padres, sonrientes, le han contestado que yo no era ningún desastre, que era un chico **listo, avispado, responsable y curioso,** como ella misma decía en su informe, y que todos los profesores me habían puesto buenas notas. Que se debía de equivocar de niño. La Terminator se ha puesto como una moto y les ha dicho que los que estaban equivocados eran ellos, porque yo había sacado unas notas deplorables y que en el informe ya decía que era un jeta y un caradura. Y mis padres, hechos un lío y un poco mosqueados, han dicho que no era serio que una profesora se confundiera de notas y que conociera tan poco a sus propios alumnos. Entonces la Terminator les ha dicho que me tenían idealizado pero que ella, que es muy buena profesora, sabe que los niños que no leen, que no preguntan, que no se interesan por las cosas y que no estudian son unos sinvergüenzas y unos frescos. Y mis padres, enfadados, le han dicho que quizás debiera cambiarse las gafas porque yo era un niño que leía, que preguntaba, que consultaba los mapas y que estaba muy interesado en la historia. Era evidente que hablaban de dos niños diferentes.

Las cosas iban mal dadas hasta que la Terminator, cada vez más subida a la parra, ha decantado la balanza.

—Ahora entiendo por qué Víctor me ha caído mal desde el primer día.

Mis padres se han vuelto hacia mí y me han dicho:

—Víctor, tendremos que tomar una decisión seria.

He intentado imaginarme qué tipo de decisión seria tomarían.

QUEMARME LOS CÓMICS.

NOO

REGALAR MI PLAY A UNA ONG DE NIÑOS SIN PLAY.

NOOO

LLEVARME A UN CENTRO DE REHABILITACIÓN DE MENTIROSOS.

SÍ, CONFIESO: NO HE SACADO NUEVE SOBRESALIENTES NI SOY BILL CLINTON.

Pero no.

Me equivocaba.

Mis padres me han dejado planchado.

Lo juro.

Mis padres han decidido cambiarme de colegio.

No me lo puedo creer.

Mis padres me mandarán a la misma escuela que los hermanos Bel porque los padres Bel les han convencido de que es la mejor ESCUELA del mundo.

Es demasiado.

Y el Melón también irá la escuela de los hermanos Bel porque sus padres han investigado a fondo y han averiguado que es una ESCUELA donde no ponen motes a los niños.

¡QUÉ POTRA!

¡El Melón, Tormenta, el Yoyo y yo iremos juntos a la misma ESCUELA!

¡Y el próximo verano iremos todos juntos a China!

FIN

LOS PERSONAJES

EL MELÓN
Mutante, alérgico y buen estudiante. Es hijo único y tiene la pega que sus padres son policías. Le falta potasio y tiene que comer muchos plátanos.

LOS INCREÍBLES HERMANOS BEL

TORMENTA
Cañera, sabionda y toda una experta en laxantes y venganzas. Mejor no llevarle la contraria. Es pequeña, pero engaña.

EL YOYO
Mimado y egocéntrico. Juega a voleibol, habla chino y toca el piano para contentar a sus padres, quiere ser pastelero.

LA ESCRITORA

Maite Carranza quería ser azafata de aviones para viajar, vivir muchas aventuras y escuchar historias de otros lugares. Pero era bajita.

«Qué tontería, para viajar no hace falta un avión», le dijo su madre, que era una mujer muy práctica. «Lee y sueña.»

Y Maite decidió ser escritora e inventarse ella misma sus historias.

Inspiración no le ha faltado. Entre sus alumnos, sus hijos, sus animales, las cosas que le pasan y los libros que lee aún le sobran montones de ideas.

Y mira por dónde ahora viaja en avión por todo el mundo para hablar de sus historias fantásticas, que ya se leen en más de veinticinco países.

EL ILUSTRADOR

Agustín Comotto quería volar y ser lo que es, dibujante. Como vio que plumas no tenía, finalmente decidió coger un lápiz. Y dibuja desde los 8 años, en Argentina donde nació, y en Barcelona, donde vive. Porque mientras dibujaba planetas, músicos de jazz, fondos marinos y naves espaciales, viajó. Viajó por toda la Tierra, hacia arriba y hacia abajo, como sus padres, abuelos y bisabuelos.

Le gusta leer y sobre todo contar historias para luego dibujarlas. Ha hecho libros en diferentes países y cree que los niños y los gatos son los mejores lectores que tienen sus dibujos.